野心のすすめ

林 真理子

講談社現代新書

2201

はじめに

忘れられない光景があります。

初めての単行本『ルンルンを買っておうちに帰ろう』（一九八二年）が出版される少し前のことです。

当時の私は、業界内ではまあまあ知られている程度のコピーライター。世間一般ではまだ無名の自分を抜擢してくれた編集者の依頼で、『ルンルン』の原稿を書き始めていました。どうせなら一流作家のようにホテルで〝缶詰〟になって処女作を書きたいと、自腹で山の上ホテルに滞在していたのです。

そんな初夏のある日、気分転換のために神田界隈を散歩していると、通りの木槿《むくげ》の木が綺麗な白い花をたくさんつけていました。

咲き誇る花々に見とれながら私は確信したんです。

――この花の美しさを、きっと一生覚えているに違いない。なぜなら、『ルンルン』が

単行本だけで30万部、文庫と合わせると100万部を超える大ヒット作

世に出たら、私の運命は大きく変わるのだ。数年後にはすっかり有名になっている自分は、「まだ無名だったあの日、神田で美しい木槿の花を見た」ことを懐かしく思い出すことだろう。

出版後に『ルンルン』はベストセラーとなり、翌年のフジテレビのキャンペーンガールを務めた林真理子は、人々から「時代の寵児《ちょうじ》」と呼ばれる有名人になっていました。

大輪の「野心」が、ついに開花したのです。

世間で「野心」といえば、腹黒かったり身の程知らずであつかましいイメージが先行していますよね。「野心家」となると、もうほとんど悪人扱いです。

実際に、辞書で「野心」を引いてみました。まずは「人に馴れ服さないで、ともすれば害しようとする心」「身分不相応の大きな望み。野望」(『広辞苑　第六版』)という定義が並んでいます。

三番目が「大きな飛躍を望んで、新しいことに大胆に取り組もうとする気持」です。有名なクラーク博士の言葉「少年よ、大志を抱け」〈Boys, be ambitious.〉の「大志」の意味。私が本書で提唱したい「野心」も同じく、「もっと価値ある人間になりたい」と願う、とても健全で真っ当な心のことです。

人気を得た芸能人がデビューのきっかけを訊かれて、

「友達からオーディションについてきてくれって頼まれただけだったのに、なぜか私がたまたま受かっちゃってー」

と少し困った顔をして見せたり、あるいは、急に有名になった文化人美女が女性誌のインタビューで、

「本当に自分でもびっくりするくらいのんびりした性格なんですけど、周りの方々が引き立ててくださって……」

と恐縮しているふうを装うパターン、目にしたことはありませんか。

全部とは言いませんが、ほぼ百パーセント、嘘です。

「私って実はすっごく大食いなんですー」とのたまう極細モデルさんと同じくらい、嘘。

剝《む》き出しの野心が嫌われるこの国で、彼や彼女たちは、嘘をついてでも見事に野心を貫徹させた成功者といえるでしょう。

人は自覚的に「上」を目指していないと、「たまたま」とか「のんびり」では、より充足感のある人生を生きていくことはできないのです。

なにも富士山を目指しましょう、とは申しません。谷川岳くらいでいいんです。そうして初めて、手頃なハイキングコースの人生を登って行けるようになる。最初から谷川岳も目指さず、高尾山ぐらいでいいやとぼんやり思っていたら、登山口の駐車場でずっとウロウロしている人生を送ることになります。

自分の身の程を知ることも大切ですが、ちょっとでもいいから、身の程よりも上を目指してみる。そうして初めて選択肢が増え、人生が上に広がっていくんです。

たとえば、受験はわかりやすい例だと思います。

最近の親御さんは、自分が偏差値教育で苦労したせいか、息子や娘に「あなたが無理せずに行ける学校でいいよ」と言うことが多いそうです。でも結局、第一志望には落ちて、第二志望、第三志望の学校に進むのはよくあることでしょう。であれば、第一志望のハードルを上げてみる。まずはできるだけ高く跳ぼうと努力しながら、結果的に目標の少し下をがっちり手に入れようとすることだって立派な野心だと思います。

　こうした野心の使い方は、人生の端々で応用できるはずです。

　野心は、恋愛欲、結婚欲、性欲とも結びついている。野心が希薄になっているから、少子化が進んでいるということもあるのではないかと私は考えています。とはいえ、よく言われる「草食男子」の増加や、男性の経済力の低下だけが原因だと思っているわけではありません。

　結婚相手を高望みする野心を失った女性にも問題があるのではないか。

　もちろん、女性がバブルの頃のようにやみくもに「三高」男性を求めなくなったことについてはとても健全な時代になったとは思います。しかし、男性の職業や年収などにはさしてこだわらず「私を好きになってくれる、優しい人なら」という女性たちがなかなか結婚できないのはなぜでしょうか。

　私が考える答えはいたってシンプルです。女性が「ハードルが低い」と思うような男性には、心をすっかり奪い取られるほどの魅力がないからだと思います。

　たしかに、佐川急便の男の子でよっぽど容姿が良くって……ということもあるかもしれません。しかし、「ハードルが高い」男性には「高い」ゆえの錯覚もセットでついてくるので、容姿だって数割増しに見えるんです。

安らげる人、一緒にいて楽な人であればいい、などと言って最初からハードルを低くしているから、いつでも跳べると思って、なかなか跳ぼうとしない。その結果、結婚できない女性が増えているのではないでしょうか。

お金持ちじゃなくてもいいけれど、知的で話が面白いとか、仕事ができて尊敬できる人であるとか、理想の最低ラインは、いくら〝最低〟でも高めに持つべきなんです。

男性の側だって、同じこと。

夜景の綺麗な高級マンションに暮らし、モデルと付き合ったり、女子アナとは合コンし放題、っていうのは、なかなか叶《かな》うことではないと思いますが、まずは、できるかぎり上を目指して努力する人生であってほしい。

後で徐々に軌道修正をしていけばよいのです。そうすれば、気立てのやさしい女性と結婚して、居心地の良いマンションで休日は可愛い子どもと遊ぶ、そんな幸福な人生が待っているはずです。

そして、ここからが大事。詳しくは後述しますが、野心が上手く回り始めると、「強運」という嬉しいおまけがついてくるのです。

いま、「低め安定」の人々がいくらなんでも多すぎるのではないでしょうか。

バブル時代の異業種交流会で、目をギラギラさせて名刺を配り歩いていたような人々もすっかり姿を消してしまいました。当時は少し鬱陶《うっとう》しいと思っていた彼ら彼女らのことがいまや懐かしくなるほど。

なぜ野心が希薄な時代になってしまったのかというと、景気がずっと悪かったんだから仕方がない、という考え方もあるかもしれませんが、私は「とりあえず食べていくことはできる、まだまだ簡単に飢え死にはしない世の中」が、その大前提にあると考えています。

「まあ、なんとかなるさ」と、自分の将来さえ真剣に考えようとしない人々ばかりが暮らす国の未来はいったいどうなるのか――。

私にはかつて、四十社以上の会社から就職試験ですべて落とされ、アルバイトで食いつないだ貧乏時代がありました。お金はないし、男もいない、定職に就《つ》ける見込みも何もなかったけれど、常に自分の将来を見据《みす》えながら、自分を信じて挑戦を続けてきました。

ですから私は、若い人たちが次のステップに進もうとして、一生懸命努力している姿を見るのが大好きです。駅のホームで、見るからに新入社員といったぎこちないスーツ姿の若者が、慣れない敬語を使いながら携帯電話の相手に一人でお辞儀していたり、必死で頑張っているのを見ると、思わず涙が出てきそうになる。「がんばれ、がんばれ」と声をかけたくなります。

あらかじめお断りしておきますが、私は通常、連載のエッセイなどでは「最近の若い人は……」という若者批判を極力しないように気をつけています。しかし、この新書はそのかぎりではありません。自分が、過去にたくさん失敗したり、試行錯誤して生きてきたからこそ学んだことをお伝えしたいと思います。

ちょっと厳しいことを申し上げることもあると思いますが、世に出ようとする若い方々、あるいは世には出てみたものの停滞気味の方々、そして、若者の心を持つ意欲溢れる中高年の方々――みなさまの背中を少しでも押してあげられる一冊になれば、これほどの喜びはありません。

目次

第五章　野心の幸福論

欲望の「大食漢」／「妄想力」が野心のバネになる／「止まっている不幸」の恐ろしさ／野心の日常的な心得とは／野心という山登り

1983年、フジテレビ・秋のキャンペーンの記者会見で

第一章　野心が足りない

屈辱感は野心の入り口

健全な野心を持つための第一歩は「現状認識」だと思います。

いまの自分は果たして楽しい人生を送っているのか、楽しくないのか。自分に満足しているのか、満足していないのか。それを自覚するのはとても重要なことです。

たとえば、冴えない大学だから就職で差別されたとか、有名な会社に入れなかったから合コンでモテなかったとか。第二、第三志望の大学にしか入れなかったとき、あるいは思うような仕事に就けなかったとき。そこで世の中のヒエラルキーの存在に身をもって気づく——。

その屈辱感こそ野心の入り口なのです。

悔しいと思った時点で、「やっぱりあいつは必死で勉強してたから東大に入った」とか、努力をした人には努力をしたなりの見返りがあるという事実を認識できるか。その時点での自分の敗北を認めることができるかどうか。

あるいは、どうやら親の七光で第一志望の会社に就職が決まった先輩を見て、「自分はコネには期待できない家の子なんだな」と素早く自覚して、伝手《つて》の伝手を頼ってみたり、必死で就職活動に励むことができるか。それも社会に潜むルールを知る良い経験です。

「三流大の自分は、三流の会社に入って、まあそこそこの人生を送るんだろう」と諦観したままの人と、「このままじゃ就職できないから何か資格を取ろう」「コネのない自分は何をすればよいか」と具体的に考えることができる人では、大きく道が分かれてくると思います。

少し話が逸《そ》れますが、ここで注意したいのは、二流や三流の人々というのは、自分たちだけで固まりがちなことです。

私が三流コピーライターだった頃の話です。

三流の仲間と新宿に呑みに行っては、当時から大スター的存在のコピーライターだった糸井重里さん（その後たいへんお世話になるのですが）を肴に、

「糸井はさー」

なんて呼び捨てにして、すっかり業界人ぶってクダを巻いていた時代がありました。誰も糸井さんにお会いしたことさえなかったくせに。いちばん恥ずかしい時代です。

ようやく、ああ、みっともないな、この人たちとつるんでいたら三流の世界から永久に抜け出せないな、と思うようになって、私は次への戦略を練ったわけですが。そのへんの

事情はのちほど詳しく。

さて、話を少し戻しましょう。

たとえば学生さんや就職浪人の方々がアルバイトをするのであれば、二流三流ばかりでつるんでしまいがちな居酒屋チェーンではなく、少しでも実入りのいいアルバイトをしようとして学校名で差別されるような経験をしたほうがいいと思います。

社会に出てからも同じです。

正社員として雇ってもらうことが叶わず、非正規雇用で差別されて悔しい思いをしているなら、派遣社員の友人と、会社や社会の愚痴を言い合っているだけでは何も変わりません。こんな差別をされている自分にはいったい何が足りないのかを、ひとりでじっくり思考してみる。悔しいけれど、運も実力のうちだと謙虚に思って、なぜ、いま自分はこのような立場に甘んじているのかと頭を働かせてみる。

とりあえず志望していた会社に運良く入れたはいいが、同期は花形部署に配属されたのに自分はパッとしない部署の勤務になった、ということなら、そのような人事をした会社は果たして何を考えているのか、何も考えていないのか、そして自分はこれからどうしたいのか、熟考するチャンスです。有頂天になっている同期よりも、自分の人生やこれからの働き方についてよっぽど深い戦略を練ることができるでしょう。

若いうちに悔しい思いを経験することは、きっと一生の財産になるはずです。

卑近な例で恐縮ですが、私がまだ学生の頃、雑誌で見たシャリアピンステーキがあまりにも美味しそうで、友達と帝国ホテルのレストランに行ったことがあります。当時の帝国ホテルは今よりもさらに格調が高く、ボーイさんからはあからさまに「はぁ？　この子たち何？」という態度で迎えられ、厨房から料理人さんたちの私語が聴こえてくるドアの近くに座らされました。

ああ、分不相応なところに来てしまったんだな、と少し後悔したのと同時に、いつか絶対に帝国ホテルで一人前に扱われる人間になりたいと思う心が強く芽生えました。

バブルの頃には、若い人たちが「なんであんな子たちが、ここへ来てるのー!?」って顰《ひん》蹙《しゅく》を買うことも多かったけれど、それはそれで意味があったんだと思います。

いまはなかなか難しいですよね。みんな空気を読んで、冒険しないから。

でも、私は思います。「若いうちの惨めな思いは、買ってでも味わいなさい」と。

無知の知

「毎日がつまらない」「彼（彼女）ができない」「バイト先でバカにされた」と思うなら、なぜだろうかとじっくり考えてみる。自分が少しでも不幸だと思うなら、その不幸が何なのかを突き詰めて考えると必ず答えが出てくるはずです。

現状がイヤだと思ったら、とことん自分と向き合うこと。

友達と気晴らしに呑んで騒ぐのもいいけれど、時にはひとりで思い切り泣いたり、徹底的に落ち込んでみる必要があります。落ちるところまで落ちて初めて、「自分はなぜ楽しくないのか」「自分はどうしたいのか」が見えてくる。そうして、次にどんなアクションを起こせばいいのかもわかってくるのです。

では、「なんだかつまらない」のに、いくら考えても、自分が何をしたいのかわからない時はどうするか。

「何をしたいのかさえわからない、自分の至らなさ」をまずは自覚することです。

私は東京に出てくる時、母からこう言われました。

——お金がないのと忙しさで、あなたには十分な躾《しつけ》ができなかった。何も与えられなかった。ただひとつ教えておくけど、自分は何も持っていないということは知っておきなさい。自分が育った家が普通だと思ったら、世間に出て恥をかく。おまえが育った家は、がさつで、みっともない、特別な家なんだ。マナーも何もなってないのだから。この先、何かあれば自分の力で勉強してやっていくように。

ああ、そうなんだと思いました。ですから、東京に出てからの私は、冠婚葬祭や季節が変わるたびに必ずマナー事典を見ていました。

マナーだけではありません。特に小説を書くようになってからは、自分のさまざまな知識不足を痛感することが増えました。

私と同じくらいの年月を歩んできた人が、自分の数倍の教養を持っていることを知ったときの驚きを忘れることはできません。その人には追いつけないかもしれないけれど、たとえば陶磁器を見せられたときに、それがいつ、どこで作られたものかわかるようになりたい、舌を嚙みそうな画家や作曲家の名前もきちんと発音したい――。そう思って、専門家から古美術のレクチャーをしてもらったり、眠い目をこすりながら早朝の英会話のレッスンに通ったりしました。

三十を過ぎて「無知の知」ということにようやく目覚めたのです。

「無知の知」とはソクラテスの有名な教えですね。自分が何も知らない、ということを知っている人間は、自分が無知であることを自覚していない人間よりも、もっといろいろなことを知りたい、学ばなければならない、と思える点で勝っているのです。

学者の中沢新一さんが難解な哲学書を書評されているのを見て、「どうして、こんなに難しい本が読めるんですか？」と伺ったことがあります。中沢さんは、「一冊、この手の本を読むと、枝葉が分かれるように、次はこれを読んで、そして次はこの本をと、どんどん興味が広がっていくんだよ」と教えてくださいました。

私は昔から読書は大好きでしたが、学校の成績は良くありませんでしたし、今だって勉強は苦手です。でも、少し無理をしてでも学ぼうと、最初はたいへんですが努力してみる。すると、次にまた新しい知の世界が広がってくるんですね。

「資料を読む楽しさに比べると、文章を書くのは付け足しのようなもの」というのは、敬愛する作家、有吉佐和子さんから生前にお聞きした言葉です。

私は『ミカドの淑女』（一九九〇年）以降、柴田錬三郎賞をいただいた『白蓮れんれん』（一九九四年）、最近では『正妻　慶喜と美賀子』（二〇一三年夏刊行）など、たびたび歴史小説を書いていますが、そのたびに必死で難しい資料を読み込みます。歴史を学ぶ楽しさは格別ですが、自分はまだまだ何も知らないんだなぁと、知と教養の海を前にめげそうになることをしばしば。しかし、もちろん、作家として書いていくかぎり勉強を続けていくつもりです。

やってしまった後悔、やらなかった後悔

ちょっと優等生のような話が続いてしまいましたので、私の〝黒歴史〟も含めたお話へと移りたいと思います。

田舎から出てきたばかりの私は野心まる出しの女の子でしたし、少し有名になってからも、「野心家」とさんざん揶揄《やゆ》されたものです。「有名になりたいからって、あそこまでやるぅー?」っていうようなことはウソ伝説も含めていろいろ言われました。

でも、いま考えると、野心だけが目立って、ずいぶんみっともなかったんだろうなということもわかります。思い返すだけで赤面してしまうことがいっぱいありますから。

一九八〇年代、私とともに「握力の強い女」と言われた松田聖子さんの本、『青色のタペストリー』(一九八二年)は私が構成を務めさせていただいているのですが、「最近出た、林真理子さんの『ルンルンを買っておうちに帰ろう』っていうエッセイは、お仕事で一冊いただいたんですが、現代の女の人の気持ちがあんまりストレートに出ているんで、びっ

くりしてしまいました」と聖子さんに言わせる形で、自分の本を宣伝しています。出版社の人に「書いちゃいなよ」と言われ、ついつい調子に乗ってしまったのですが……。

その後、聖子さんの冠番組に呼んでもらって一緒にクリスマスソングを歌ったり、最初の結婚披露宴には招待していただきましたし、ご本人もちゃんと原稿をチェックしてくれていたと思うんですけど、さすがスター聖子、太っ腹ですよね。せこいことしたよなぁと今でも恥ずかしく思っていて、聖子さんにお詫びしたいのですが、最近はなかなか会うことができません。

すごく生意気だった時代もあります。『ルンルン』を出版した後、大手出版社では最後に新潮社の編集者が会いに来たのですが、「やっときたわねー」「新潮社さん、遅かったわねー」と嫌みを言ったり、いま思うと自分でも反吐《へど》が出るくらい嫌な女でした。まあ、二十代でいきなり世に出てきて性格の良い人などほとんどいませんよね。

プライベートでの黒い過去は、もう数えきれません。

結婚してくれると思っていた男性からこっぴどくふられた時には、電話で「今すぐここから飛び降りてやる！」って、ボロ泣きしながら大騒ぎしたこともありました。彼が吐き捨てるように発した言葉は「君のそういうところがイヤなんだッ！」……どん底のさらにどん底へと突き落とされました。

いろいろと思い出すと本気で悲しくなってきたので、後は割愛しますが、このまま布団をかぶって寝てしまいたくなるほど、消したい過去はいっぱいあります。

でも、開き直るわけではありませんが、若い時の野心に下品さがついてまわることは仕方ないでしょう（すっかり開き直っていますね）。

なんといっても、私のモットーは、「やってしまったことの後悔は日々小さくなるが、やらなかったことの後悔は日々大きくなる」です。

やってみる価値がある、面白そうだと思ったことは、恥をかいてでも、とりあえずやってみる――正確にいうと、恥うんぬんを考える前に行動してしまっているわけですが。

取り返しがつかない、という意味では、やったこともやらなかったことも同じです。やってしまった過去を悔やむ心からはちゃんと血が出て、かさぶたができて治っていくけれど、やらなかった取り返しのつかなさを悔やむ心には、切り傷とはまた違う、内出血のような痛みが続きます。内側に留《とど》まったままの後悔はいかんともしがたいものです。

まあ、だからといって、恥ずかしいことを恥ずかしいと思う自覚を持つことも、もちろん大切です。その匙《さじ》加減《かげん》が難しいんですけどね。

さて、次はこうした私の反省をもとに、「健全な野心」と「ダメな野心」について考えていきたいと思います。

「テクノルック」で糸井さんに突撃

自分を振り返りながらも思うことですが、野心だけが空回りしている人間というのは本当にみっともないものです。

たとえば、最近こんなことがありました。

山梨の母に会いに行った帰り、電車の中でのことです。さあ、大好きな本を読もうと思っていたところ、見知らぬ若い男性がいきなり話しかけてきました。

「ハヤシさんですよね？　芥川賞の選考委員なさってますよね？」

「いえ違いますー。直木賞ですー」

私は少しむっとして答えました。すると彼は、

「僕の小説、個人教授してもらえませんか」

と言うではありませんか。間髪を入れず「できませんー」とお断りしました。

芸人さんや落語家さんの世界では、待ち伏せしていたら弟子になれるという伝説がいま

だに生きているのでしょうが、小説を書きたいという場合、「僕は書けそうなんです。書けるんです」と言って、初対面の作家に小説を教えてもらえると思っている時点で大きな勘違いだと思います。せめて「新人賞の佳作に入ったんです」とか、過去形の実績を自力で作らないと。まあ、いずれにしても私は、小説の個人教授をする気はありませんが。

自分ではたいした努力もせずに「うまくやろう」っていう人は、誰かに取り入ろうとすることばかり考えている。

健全な野心とは程遠い、ダメな野心とはそういうことです。

ここで、私がたいへんお世話になった糸井重里さんと秋山道男さんの話をしましょう。糸井さんはあまり触れたがらないようですが、私は、糸井さんに世に出るきっかけを作ってもらったと言っても過言ではありません。

二番目に就職したゆるい広告会社で毎日ダラダラと過ごしていた私は、このままではいけないと、糸井さんが天野祐吉さんと作った広告学校の「糸井塾」に入りました。一九七九年、私が二十五歳になった年のことです。

糸井塾は、当時すでに超一流コピーライターだった糸井さんが週に一回、講師を務めてくださる塾で、経験三年以上であれば誰でも入れたんです。講義が終わったあと、塾生みんなで「糸井さぁーん、糸井さぁーん」ってせがんで、糸井さんに呑みに連れて行ってもらったこともありました。

ライバルの塾生たちから一歩抜きん出て、糸井さんに認めてもらうために私が考えたのは、まず服装から目立つこと。銀色に光るジャンパーにブーツ。刈り上げのショートヘア。当時流行り始めていた「テクノルック」で糸井塾に通いました。刈り上げ、テクノですよ、テ・ク・ノ！（「ａｎ・ａｎ」で「刈り上げが上手い床屋」という記事もあったくらい、当時は流行っていたのです）

後に糸井さんからは「変な格好だったけど、とても目立っていたよ」と言ってもらえたので、みっともない格好をしただけのことはあったようです。

とはいえ、もちろん服装だけでは本当に認めてもらうことにはなりません。毎週、課題が与えられていたのですが、ある週には、糸井さんが作詞を始められた頃だったので、各自が作詞をしてこようということになりました。

当時は、さだまさしさんの歌やニューミュージック全盛の時代。他の塾生が「そよ風の中に君を見た〜」みたいな歌詞を書いているときに、私は思い切って、「池袋ハイボール」というタイトルのド演歌を作ったんです。「惚れた男は片手じゃ足りぬ～」といったコブシの利《き》いた歌詞。

人がやりそうにないことをやってやる、というのが、デビュー作の『ルンルン』にも続く、あの頃の私の戦略でした。

他の受講生よりも目立つよう、ウケるよう、毎回一生懸命、工夫しました。そして、糸井さんが「面白いねー」と認めてくださって、「行くとこないなら、来れば」と、糸井さんの事務所で電話番などをさせてもらえることになったのです。

その後、糸井さんが、私の第二の恩人、「無印良品」や「チェッカーズ」のプロデュースにも関わったクリエイティブ・ディレクター、秋山道男さんに、「変わった子がいる」と言って私を紹介してくださいました。そして、秋山さんのところで、当時、西友が作っていていまも伝説となっている、子ども向けながらすごく過激なPR誌「熱中なんでもブック」の編集に携《たずさ》わるようになるのです。

ここではライター、エディター、コピーライターの仕事をすべてやったわけですが、神宮前にあった秋山さんの事務所には、無名時代の南伸坊さん、渡辺和博さん、中野翠さんも出入りしていて、まさに「業界の梁山泊《りょうざんぱく》」のようなところでした。八〇年代のにおいがプンプンしますね。

TCC（東京コピーライターズクラブ）の賞をいただいたこともありましたが（註：一九八一年、西友の「つくりながら、つくろいながら、くつろいでいる」で新人賞受賞）、当時からコピーライターとしての才能は自分には無いと気づき始めていました。糸井さんからも「短くパッと言うより、グジグジ言うのがうまい」と指摘されていましたし、秋山さんも「コピーより長い文章を書いたほうがいい」とアドバイスしてくれていました。

そうして一九八一年に私は独立し、秋山さんの事務所に出入りしていて知り合いだった主婦の友社の編集者・松川邦生さん（本書の冒頭に出てくる編集者です）が、一冊も本を書いたことがない私の書籍企画を通してくださったわけです。

「定価：10円」も画期的だった伝説の雑誌

思い出話が少し長くなりましたが、本題に戻ります。

自分が何も努力せずに、誰かが引き上げてくれるなんていうことはありえないのです。一流の、業界で力を持つ人に食い込んで行くことも実力のうちですが、まずは食い込むための実力を自分がどんな形であれ発揮しなければなりません。

「今のままじゃだめだ。もっと成功したい」と願う野心は、自分が成長していくための原動力となりますが、一方で、その野心に見合った努力が必要になります。

野心が車の「前輪」だとすると、努力は「後輪」です。

前輪と後輪のどちらかだけでは車は進んで行けません。野心と努力、両方のバランスがうまく取れて進んでいるときこそ、健全な野心といえるのです。

若い作家が消えてしまう理由

前述した、小説指導をいきなり頼んできた彼は、前輪の野心ばかりが空回りしている例ですね。車の正面から後輪は見えにくいけれど、前輪はよく見えます。野心の前輪だけが回って進まないのはすごく目立つしみっともない。いま思えば私も「野心家」と、うしろ指をさされていた頃は、前輪ばっかり回っていて、見苦しかったんだと思います。

とはいえ、そんな「小説家志望の彼」でさえ、まだ見込みがあるほうなのではないかと思ってしまうくらい、このごろの若い人を見ると、驚くほど野心が希薄になっているようです。いまだにギラギラと野心を持ち続けているのは、お笑い界の芸人さんぐらいではないでしょうか。

作家の世界でも同じく、野心の氷河期現象が起きていると感じています。最近の若い作家には、ベストセラーを出したはいいが、「あの売れてる本を書いた人、誰？」って気になっているうちに、二、三作で名前さえ聞かなくなってしまう人が少なくないんですよね。

ここ数年は、金原ひとみさんのような見事な才能と美貌を兼ね備えた作家が出てきたから、もはや売れない芸能人やモデルを小説界へ連れてくる必要はないでしょうけど、ひと昔前には〝「作家」と呼ばれる美女〟がたびたび出現していました。

小説らしきものを一作くらい発表しただけで、あとは何かを書いている気配もない〝自称「作家」〟――そもそも私は、作家にかぎらず「本業」が何だかよくわからない人間を一切信用していないのです――とはまったく違って、彼ら、最近の若い作家は素晴らしい才能を持っているし、真面目に努力もしている。なのに、あっという間に舞台からいなくなってしまう。

どうして彼らは消えてしまうのか。

それは、野心という前輪が回っていないからではないかと思うのです。努力の後輪はちゃんと回っているにもかかわらず。

若い作家のエッセイを読むと、昼頃に起きてシャワーを浴びて、自分で美味しいパスタを作って、そのあとちょっと仕事して、ビデオを観て寝る、みたいな一日だったりするんですよね。欲がまったく感じられない。野心オーガニックな生活とでもいいましょうか。

昔はもっと生意気で鼻につくような若い作家がいて、やり込められたり、むっとしたりすることも多かったのですが、いまはみんな、こちらが感心するほど礼儀正しく、おとなしくて、「あ、いい子だね」という印象だけで終わってしまうんです。

わーヤな感じ、生意気！　って思う——まあ、私もそういう一人だったでしょう——けれど、なんだか気になって仕方がない、もう一度会ってみたいと思ったり、その人の次の作品を悔しいけどついまた読んでしまうような、人として歯ごたえがある作家が少なくなりました。

たとえば、山田詠美さんは当初から一癖も二癖もある作家の代表格で、かつての文壇で選考委員をされていた先生方にも一目置かれて面白がられていました。デビューした年が近かったこともあってよく比べられましたが、私なんて一部の選考委員の先生にはたいそう嫌われていましたから、詠美さんのことがとても羨ましかったです。女優さんでいうと桃井かおりさんみたいな感じかな。ちなみに最近の若い女優さんなら、私は吉高由里子さんなんて好きですけどね。

まあ、しかし。この話題を続けていると、若さに嫉妬して新人作家いじめをしている文壇おばさんと思われそうなので、少し補足してやめます。

たしかに、私は三十代のうちは、海外からの帰りの飛行機の中で、週刊誌が怖くて読めなかったんです。誰か新しいスター作家が出現しているんじゃないかと思うと、とても恐ろしかった。次の直木賞は誰が取るんだろうかと毎回すごく気になりましたし、自分のポジションを乗っ取られないか、絶対に明け渡したくない、そんな気持ちだったのだと思います。

しかし、そうしたジリジリとした焦燥感が、柴田錬三郎賞をいただいた頃ぐらいから、自然にスーッと消えていきました。

それは文壇で定位置を確保できたからだろう、と言われればそうかもしれませんが、やはり私は作家という人間が好きで好きでたまらないのです。なんせ、田舎の書店の娘として生まれ、趣味といえば読書しかないような環境で育ってきましたから。

私にかぎらず、作家をいちばん好きなのは、作家自身ではないかと思うのです。

他の作家を見て、売れていていいなぁ凄いなぁと羨ましい時もありますが、評価して羨望するということは嫉妬ではないと思います。同世代の小池真理子さんをはじめ、江國香織さん、絲山秋子さんや角田光代さん、三浦しをんさんの小説が私は大好きです。ちゃんと小説を書いている人にはもうまったく嫉妬しません。そういう年齢になってしまっただけかもしれないけれど。

いま私は、直木賞以外にも吉川英治文学賞や柴田錬三郎賞など、数多くの文学賞の選考委員をしていますが、我ながら自分は公平な人間だなと思うのは、昔、自分がやられたように「この女は嫌いだから賞なんかやるもんか」っていうことは絶対にしません。そんなことを一瞬でも思ったら、選考委員をやめる時だと考えています。いい作家だなぁと思ったらしっかり応援しますし、いつもそういうフェアな態度で選考していることには自信を持っています。

「一生ユニクロと松屋でオッケーじゃん」

さて、健全な野心は、それに伴う努力との絶妙なバランスによって成り立つことは、少しは理解していただけたのではないかと思います。

では、「欲のない自分」が、野心を持つにはどうすればよいか。

先ほどの話で言うと、才能もあって、ちゃんと努力もしているのに、野心が希薄なせいで消えてしまう作家のようなケースです。人によっては、努力をすることよりも、野心を持つこと自体のほうが難しいのかもしれませんね。

野心を持つことができる人とは、どのような人なのでしょうか。

それは、自分に与えられた時間はこれだけしかない、という考えが常に身に染み付いている人だと思います。

私が最近の若い人を見ていてとても心配なのは、自分の将来を具体的に思い描く想像力が致命的に欠けているのではないかということです。

時間の流れを見通すことができないので、永遠に自分が二十代のままだと思っている。フリーターのまま、たとえば居酒屋の店員をずっとやって、結婚もできず、四十代、五十代になったときのことを全く想像していないのではないか、と。

より具体的に言えば、「このまま一生ユニクロを着て、松屋で食べてればオッケーじゃん」という考え方です。

たしかに、若いときはカラフルなフリースを着たり、全身ユニクロでも似合うでしょう。十代や二十代前半の若い子が、ユニクロを上手に組み合わせているのを見ると、あぁ、日本にも、チープシックのおしゃれができる子たちが増えたんだな、と誇らしくさえ思います。

しかし、肌もたるみ、髪も痩せ、全身がいよいよ重心に逆らえなくなってくる四十代、五十代になって、毎日が全身ユニクロでは、惨めこの上ないわけです。年齢を重ねると、素材の高級感があるものをたとえ一点でもいいから身につけていないと、単なる哀愁の中高年になってしまう。

電車に乗って、向かい側に座っている初老の人を何の気なしに見ただけなのに、ああ、この人は豊かな暮らしをしていそうだなとか、この人は貧乏くさいなとか、パッと見の印象で瞬時にわかってしまうことがありますよね。靴をじろじろ見たり、別に詳しく観察しているわけではないのに、年を取ってから安物ばかり着ている人は、その佇《たたず》まいだけで哀しい負のオーラを発してしまうのです。

自分がみすぼらしい中高年になるとは想像もできない若い人たちが多すぎるのではないでしょうか。いまは親と同居して面倒を見てもらっているからいいけれど、親が年金暮らしになり、いつか頼みの親は死んでいなくなってしまうこともロクに考えていない。五十代になっても居酒屋チェーンのアルバイトで運良くまだ雇ってもらっているのはいいが、二十代の社員店長からこき使われている自分を想像できるのでしょうか。

自分の人生の底辺が二十代であれば、いくらでも上向きに修正できると思いますが、人生の底辺が五十代、六十代以降になってしまうのはあまりに惨めだと思います。

老いを見据える訓練

私は幼い頃から、いつも死について考えさせられていました。

なぜかというと、両親が年を取ってからできた子どもだったので、たえず陰気な低い声でこうやって脅されていたのです。

「マリちゃんが大きくなる時には、お父さんもお母さんも生きていられないかもしれないんだから、もっとしっかりしなきゃいけませんよ」

そのくせ、年寄り独特の執拗さでねっとりと可愛がってくれたので、私はひどく中途半端な子どもになってしまいました。早くひとり立ちをしてくれと言われていたわりには、ぼんやりとして成績も悪く、家事もいっさいできませんでした。

高校生だった頃のことです。ある日、いつものように、私は学校から帰ってきました。家は山梨の駅前で書店をやっていました。いつもぐずぐずと友人たちとおしゃべりをしていましたから、いくらでも手伝うことはあったのですが、帰宅は日が暮れてからでした。

母は髪の毛を文字通り振り乱しながら、返品の山と格闘していました。小さな書店では、本の返品というのが売る以上に手間のかかる作業なのです。

心にうしろめたさを抱えている私は、わざと無邪気に声をかけました。

「お母さんもたいへんねぇ……」

ところが意外なことに、彼女は私の慰撫《いぶ》の言葉をピシャリとはねのけたのです。

「いまのあなたに私のことがわかるはずがないでしょう。あなたが五十代になって、こういう力仕事をしたら初めて、私がどういう思いでこれをやってるかわかるのよ。だから、そういう言い方はやめなさい」

母の口ぶりは、怒りでも愚痴でもありませんでした。四十年以上たっても私がはっきりと記憶しているくらいですから、凛《りん》としたものがそこにはあったのだと思います。

彼女の静かな口調は、高校生の私に、年を取ることの不思議さ、神秘さをしっかりと植え付けてくれました。私もいつか、目の前の母のように、白髪まじりの女となり、娘を見据える日がやってくるのだ——。それを哀しいほど予感したのでした。

いま、当時の母を上回る年齢になり、あの頃に想像しようとした老化がまさに自分の身に起こっているわけです。しかし、こうした母の教えのおかげか、人間は老いるのだということを忘れない訓練を幼い頃から重ねてきたので、年を取るということを、私はいつも明確に意識しながら生きてきました。

ですから、いまのアラフォー世代にありがちな、自分が若いままだと思いたい、いまは若作りしているがこの先の年の取り方がわからない、ということは私にはなかったように思います。「誰でもいつか老いていく」という感覚は、私の小説の一つのモチーフでもありますし。

とはいえ、肌がハリをなくしていくのをそのまま見過ごすことは悔しいので、歯列矯正をしたり、エステに通ったり、高価な朝鮮人参のジュースを飲んだり、できるかぎりの努力は続けてきました。おかげさまで、どうやら最近「林真理子が整形した」という噂が流《る》布《ふ》されているそうで、秘かに喜んでいます(どうせならやっておけばよかった……とも)。

樋口一葉の再来といわれた母の人生

ついでに、もう少し、母の話を続けさせてください。

私の結婚式の時には（一九九〇年）、出席してくださった堤清二さんや栗本慎一郎さんが、「ハヤシさんのお母さん、ただ者じゃない顔をしてる」

と言ってくださったものです。

『本を読む女』（一九九〇年）は戦前から戦後にかけての母をモデルにした小説ですが、いまの母を見てもたいした女性だと思います。すっかり足腰は弱ってしまいましたが、難しいクロスワードパズルを解いたり、頭は昔と変わらず、とてもしっかりしています。

先日、山梨に行ったときには、

「自分も作家になりたかった。チャンスはいくらでもあったのに、努力しない自分がいけなかった」

と、九十七歳にして本気で悔しがっていたので驚きました。

母は大正四年生まれですが、当時の女性、それも山梨の田舎ではとてもめずらしく女子専門学校（いまの女子大）まで進んだ人です。娘の自分が言うのもなんですが、幼い頃から優秀で、児童雑誌「赤い鳥」に投稿して入賞した時には地元の新聞で「樋口一葉の再来」と報じられたこともある才女でした。

戦前は福島の相馬で女学校の教師をした後、東京の出版社、旺文社に勤めていました。そのときに、旺文社の創立者・赤尾好夫さんの紹介で、当時、銀行員だった父と結婚したのです。

結婚後まもなく、満州の国策会社に転職した父と共に中国に渡り、商社に勤めていましたが、父が現地召集となった後で妊娠していることがわかり、昭和十九年（一九四四年）に単身帰国して、故郷の山梨で男の子を生みました。

翌年、終戦になっても、父は帰ってきません。戦後の混乱の中で、母は、生きていたら私の兄となるはずだった初めての子どもを病気でなくします。

その後、二年たっても三年たっても、父は帰ってきませんでした。生活のために、母は、実家で古本を売り始めました。それが、私の実家が営んでいた林書店の始まりです。

そして、父が生きているか死んでいるかさえまったく分からないまま年月が過ぎ、終戦から八年後、女手ひとつで店を切り盛りしていた母のもとへ、ひょっこりと父が帰ってきて、翌年に私が生まれました（生死不明だった期間に父が何をしていたかというと、なんと中国共産党の傘下に入り、有名な日本人医師の下でプラセンタの研究をしていたというのです――）。

私が生まれた翌々年には弟も生まれましたが、教養が深く働き者の母と、享楽的で、毎朝、中国共産党の革命歌を歌う変わったおじさんの父が、うまく行くはずありません。どうして離婚しないのか不思議なほど、両親は毎日のように喧嘩をしていましたし、母は、お父さんのおかげで人生の貧乏くじを引いた、といつもこぼしていました。

そんな家庭でしたから、私は母から「私たちの世代は、十の努力をしても戦争のせいで三しか得られなかったけど、あなたは、いま十の努力をすれば二十も三十も狙えるよ」と言われ続けて育ったんです。

子どもの頃、母に若い頃の写真を見せてもらったときには衝撃を受けました。写真の中に、毛皮のコートを着て帽子をかぶった、とてもおしゃれな女性がいました。父と結婚する前、旺文社に勤めていた頃の母の姿です。

「この人、お母さん……？」

思わず、確認せずにはいられませんでした。

戦前は、東京でこんなに知的で颯爽《さっそう》としていた素敵な女性が、いまや田舎の汚い本屋のおばちゃんになって、旦那と毎日やりあっているのか……。

これぞ無常というか、人生とは流転していくものなのだな、という思いが子ども心にも強く刻まれました。世の中とは理不尽なものだな、と。

私が、長いスパンで人生を考える人間になったのは、こうした母の人生を見てきたことも大きいと思います。

人生を俯瞰《ふかん》で見るということは、一生の儚《はかな》さを知ることであり、自分に残されている時間をシビアに、かつ明確に意識することでもあります。

自分は果たして結婚したいのか、子どもが欲しいのか、ということも、一生の中で考えなければならないとても大事なことです。子どもを持ちたいと強く願う気持ちがあれば、それを認識するのが早ければ早いほど良いのは、最近よく報じられているとおりです。

人の一生には、ほんの短い時間しか与えられていません。どのように生きていくかということを真剣に考えるのは、充実した人生を送るために不可欠なことだと思います。

第二章　野心のモチベーション

友人同士の「タイタニック」格差

将来の自分の姿を想像することもなく、与えられた時間を意識することができない人が増え、野心が希薄な時代となってきたことを述べてきました。

私はそこに「飢え死にはせずになんとか暮らして行ける社会」に我々が暮らしているという大前提があると思っています。ユニクロもあるし、コンビニで三百円のお弁当だって売っている。最低限の暮らしであれば、どうにかこうにか手に入りそうな社会です。

さらに私は、そうした物質的なことだけではなく、いまの親の教育にも原因があるのではないかと考えています。

仕事柄、たくさんの編集者との付き合いがありますが、彼らの子育ての成否は、大きく二分されているようです。一流大学を出た子どもが自分と同じ仕事がしたいと出版社に入ったと嬉しそうに話す人もいる一方で、三十前後の無職の子どもを自宅に抱えている人もいたりします。

もともと優秀な人が多い彼らですから、子育ての勝者となる人もいっぱいいますが、編集者は多忙きわまりない仕事です。子どもにかまってあげられないことに負い目を感じて、ついつい「好きなようにしなさい」というスタンスを取り続けてしまうことも多いのではないか。

編集者にかぎらず、いまの若い人たちの親の世代は、自らが戦争や貧困などの辛い時代を知らず、偏差値教育のエスカレーターに乗せられるがままに育ってきた人が多いと思います。子どもに対して、自分ひとりの力で生き抜いていかなければならないのだという大原則を、うまく伝えられなかったこともあるでしょう。

そのように考えていくと、日本の若者が野心を持つことなど未来永劫、もう無理じゃん！ と絶望的な気持ちになってしまうわけですが、ひとまず措《お》いておきます。

ここで、格差社会に目を向けてみましょう。

なかなか飢え死にはしない世の中ですが、社会の格差が拡大していることはご存知のとおりです。いまや世の中には歴然たるヒエラルキーが存在しています。

たとえば、貧乏なウエイトレスの女の子が大金持ちの男性から結婚を申し込まれるなんていうことは、もはやありえません。「愛人になれ」なら、ひょっとして可能性があるかもしれませんけどね。社会的に地位のある男性が、自分の奥さんになってほしい女性に貧乏で教養もない女の子を選ぶことなど、いまの時代にあるはずないでしょう。

たしかに、昭和三十～四十年代には、日活映画で吉永小百合さんが演じていたような貧乏だけど賢くて健気《けなげ》な女の子が、どこかの御曹司と結ばれるという話はあったかもしれません。しかし、それは、貧しくて教育を受けられず、中卒で働いている人がいっぱいいる時代だったからです。

いまの世の中で教育をロクに受けていない人というのは、単に努力しない人だとみんなわかっているから、ちゃんとした男の人は高校中退の女の人にはまず近寄りません。男女が逆のパターンなら尚更です。

なぜいまだにCA（キャビンアテンダント）の女性が、お医者さんや青年実業家の合コンでモテるかというと、航空会社のふるいにかけられた、それなりの学歴や容姿や家柄といった基準をある程度は満たしているはずだから、あとは男性側の好みの顔とそれなりの性格……ということで、要は話が早いんですよね。だから、そういう安全パイの女性を揃えた合コンって、すぐにまとまりやすいんです。

一方で、おれはー、あたしはー、ヤンキーとして生きていきます！　という強い覚悟があるなら、ヤンキーのムラ社会で早々に結婚し、誰にも読めない無謀な当て字の名前をつけた子どもを育て、一生ヤンキーの暮らしをしていくことができるでしょう。

いちばんやっかいなのは、ヤンキー人生を送る覚悟も持たずに、このままなんとか二流三流の社会で生きていけるとぼんやり思っている人々です（ちなみに、ヤンキーの方々と、私が言う一流二流三流の人たちとは価値観や人生の軸が異なると考えています）。

人は年を取るのに比例して、残酷なまでに格差という現実を突き付けられるようになります。それは、ときに友情さえ引き裂くことがある。

若い頃は一緒にバックパッカーでアジア各地を旅行した友人同士が、中年になり、子どもも大きくなったから、久しぶりに一緒にニューヨークへ行こうよ、という話になったとします。Aさんはエコノミークラスで行くと言い、Bさんは、もう長時間エコノミーは無理だからビジネスクラスで行きたいと思う。

Bさんが、ごめん、やっぱり私はビジネスクラスで、ということになれば、エコノミークラスに乗り込むAさんと、お互い搭乗口から気まずい思いをすることになる。友人同士なのに、それではまるで映画「タイタニック」のジャックとローズです。

あるいは、Bさんが気をつかって、じゃあ私も一緒に、と心の中で少し意気消沈しながら、Aさんと同じエコノミークラスにしました。しかし、腰は痛くなるわ、ビジネスクラスに慣れた身にとっては家畜のような扱いに呆れるわで、ニューヨークへ向かう飛行機の中から「ああ、もうAちゃんと一緒の海外は無理だな」と決意する。

どちらにしても、とても不幸なこと。仲が良かったはずの友人とでさえ、年を取るごとに広がる格差とは、かくも容赦ないのです。

糸井さんや仲畑さんの超一流オーラ

このような例を考えると、三流は三流で固まりやすい、ということにいっそう合点がいきますよね。

年を取っても、三流仲間は自分を出し抜いたりせずに、ずっと三流のままでいてくれるだろうという安心感。周りはみんなぼんやりしていてプレッシャーもないし、とにかくラクですから、居心地が良い。三流の世界は人をそのまま三流に引き止めておこうとするやさしい誘惑に満ちているのです。

私が三流にどっぷりと浸かっていたころの話をしましょう。

コピーライターの養成学校へ通った後、最初に就職した広告制作会社で、朝は誰よりも早く出社したり、私は一生懸命に頑張っていました。しかし、自分が「田舎者」といじめられる一方で、要領だけ良くてちやほやされている同僚の女の子を見て、すべてがバカらしくなってしまったのです。その反動で、次は、適当にスーパーのチラシさえ作っていればいいという、ゆるい会社に入り直しました。

二番目の会社では、絶対にもう損な役回りはするまいと思って、サボることばかり考えていました。毎朝、化粧もしないでパンと牛乳を買って出社。午前中は新聞と雑誌を読んだりダラダラするだけで終わります。みんなでお昼を食べに行って二時間、午後もゆるゆる……という、だらけきった会社でした。仕事も、どうせスーパーのチラシなんて、あとでまとめてやっちゃえばいいもんね、と、すっかり舐《な》めきって、怠惰な生活に浸りきっていました。

この二番目の会社にいた頃の自分って、いまの若い人たちにわりと多い感覚じゃないかなぁと思うのです。だから、三流のままで温々《ぬくぬく》と過ごしてしまう気持ちも、私には痛いほどよくわかる。

さて、その頃です、コピーライター養成学校の同期、私よりも成績が悪かった男性が、東京コピーライターズクラブの新人賞を取ったことを知らされたのは。

いつものようにダラダラと過ごしていた会社で、同期の受賞を不意に知った時の、まるで呼吸が止まってしまうような感覚には、自分でも戸惑うしかありませんでした。それが悔しさであるとさえ最初は認識できず、ただ固まってしまうばかりで、なぜだか目から水が溢れてくる。

その他にも、より有望な会社に転職したとか、テレビの仕事を始めたという人も出てきました。比べて自分は、チラシの仕事も本当に面白いものを作っていればともかく、周りのレベルもデザイナーのレベルも低いし、社内は不倫ばかりだし、このままでいいんだろうか、と思うようになりました。三流の辛さがようやく身にしみてきたのです。

月に九万〜十万円は貰っていたので、六畳一間にしろ当時はそれでまあまあの生活ができました。なのに、やはり自分はまったく満たされない。適当にやっていればお金も貰えるから割り切って仕事をしよう、と決めたのは自分だったはずなのに、全然楽しくなかったし、どうしてこんなに寂しい気持ちなのかなぁと思いました。最初の会社にいた時の辛さとはまた違う辛さでした。

そこで、第一章の最初の話になるわけですが、なぜ、いまの自分はこんなにつまらないんだろうと突き詰めて考えました。

——ああ、私は、華やかな場所で、ちゃんと一流の広告の仕事がしたいんだ。

自分が何を求めているかようやく理解した私は、起死回生を本気で考えるようになりました。そこで、前述のようにして、糸井さんのところに行ったわけです。

一流の場所に行って気づくのは、一流の人たちって本当に面白いんですよね。どんな会話をしても、いちいち面白くて、行動から好きな食べ物（たとえラーメンでも）、そのすべてが輝きを放っているのが一流の人々です。糸井さんや仲畑貴志さんクラスの人って、まぶしいほどの一流オーラが出ている。毎日が刺激的で、信じられないほど楽しかった。

こうして一流の面白い人たちに出会うと良いことは、自分もその一流の仲間に入りたい、この面白い人たちと一緒のところにずっといたい、と強く思うようになることです。

広告業界というのは、一流二流三流っていうのがとてもわかりやすかった。発展途上の二流の人と、ずっと二流のままの人っていうのも違う。いまはこのポジションだけど、いずれは……っていう人もわかる。志が低くて、ずっとこのまま二流なんだろうなぁという人もわかる。容赦のない「クラス分け」をいっぱい見てきました。

ファーストクラス入門

再び、飛行機を喩《たと》えに考えてみましょう。あからさまに階級制度を持ち込んでいる飛行機の座席は、野心の話をするときにとても便利な存在です。

さて、これは、私が『下流の宴』（二〇一〇年）の中でも書いていることなのですが、世の中には、一生エコノミークラスに乗り続ける人たちがいます。もちろん、私も若い頃は、エコノミーしか知らないから、エコノミーの入り口からしか飛行機に乗り込んだことがなかったわけです。たまにエコノミーの前の方の席になるとカーテンの隙間《すきま》からちらちらと見えるビジネスクラスしか窺い知ることはできない。

でも、ビジネスクラスに乗るようになると、飛行機の前の方の入り口から乗るので、先端にあるファーストクラスを通り抜けてから、ビジネスの席に行くことになります。すると、「ああ、こういう世界があるのか！」と、さらに上の世界を見るわけです。そして、ファーストにいつか自分も乗ってみたいと思うようになる。

一生エコノミーの人は絶対にファーストクラスの座席を目にすることはありませんが、一度でもビジネスに乗るとファーストの世界をいやがおうでも目にしてしまうのです。人の生き方も同様です。ずっと三流のままであれば、一流の世界を覗くことさえできない。

私は三十一歳で直木賞を受賞した後で、初めて飛行機のファーストクラスに乗りました。あまりにも快適で、「これからは自腹を切ってでもファーストに乗る。それが私の生き方だ！」と決めたのですが、子どもができたら乗れたもんじゃないですし、ファーストにこだわる気持ちも昔ほどではなくなってしまいました。そもそも最近は、飛行機からファーストクラスがどんどん消え去っていきますし。

とはいえ、若い頃に「これからは絶対ファーストに乗ってやる」と決意したのは、野心の一つのバリエーションとして悪いことではなかったと思います。それを見栄っ張りだとかいう人はいるだろうけれど、若い時に、多少の見栄を張ったり、背伸びをするのは、自分という人間の成長のために欠かせないことではないでしょうか。

エルメスのバーキンを最初に買ったのは、三十二歳の時だったと思います。真っ赤な巨大バーキンなど、全部で三つも買ってしまいました。ケリーバッグも一緒に。税関で十八万円も取られたことをよく覚えています。

見栄っ張りの私は、ブランド品が大好きです。でも、雑誌で「誌上大バザール」なんかをやると、そこでも見栄っ張りだから、バーキン以外、出品したことはありません。買うたびに放出してしまうから、バーキンの出入りは激しいですよ……お金は出て行く一方。

貧乏時代にはブランド品など買うお金はもちろんなかったですし、洋服にもまったく構っていなかったので、最初の会社にいた頃は雑誌の「ａｎ・ａｎ」や「ｎｏｎ－ｎｏ」をみんなに投げつけられていたくらい、おしゃれに無頓着でした。でも、有名になって、少し成功してからは、自分にブランド品を投入したいと自然に思うようになりました。

バブルの頃は、四畳半生活でエルメスとバーキンなんて身の程を知れと、よく怒られたものですけど、いまの時代、みんなが身の程を知りすぎてしまい、社会にエネルギーと活気がなくなってしまった。個人としては健全である一方、経済活動にたいしては反作用をもたらすわけです。

そういえば、自分の記憶には無いのですが、友人のスタイリストが本に書いている私の逸話があります。

彼女がコム・デ・ギャルソンの素敵なスカートを穿いているのを見て、私は「おんなじのが欲しいけど、四万円とか五万円とか、いまの自分には払えない。でも、そのうち、こんなスカートを十枚も二十枚も買えるようになるもん！」と言ったらしい……。我ながらあっぱれ。ぶれない野心家ですね。

「いったい、あなたは誰⁉」

一流の世界を知ろうとする気持ちは大切ですが、自分の立場を弁《わきま》えていない人というの

いまも親交が続く作詞家・秋元康さんとの初顔合わせとなった雑誌「ヤングレディ」（1986年４月22日号／1987年休刊／講談社）の対談で

は、すごくみっともないと思います。自分では何の努力もせず、見ず知らずの世界にズカズカと足を踏み入れてくる人には心からの怒りを覚えます。

秋元康さんとは文化人の団体「エンジン0《ゼロ》1《ワン》文化戦略会議」でもご一緒していて仲良くさせていただいているんですが、イベントの打ち上げなどでも、親分肌の秋元さんはいつも気前良くご馳走してくださることが多いのです。

そうした内輪であるはずの会合に、時々、誰が連れてきたのか、正体のわからない人が名刺を出そうともせずに、我が物顔で紛《まぎ》れ込《こ》んでいたりすることがあります。

秋元さんが支払ってくださることをみんな

薄々わかっているはずなのに、そういう場所に何者であるとも名乗らず、のほほんと居られる神経が私にはわかりません。

「あなた、いったい誰なんですかッ？　なぜここにいるんですかッ？」

と声を荒らげてしまったことがあるくらいです。秋元さんには、「マリコさんは、いつもそういうことにすごく怒るね……」と呆れられましたが。

意味なく宴に来て、勝手に食べて呑んで帰って行くような人にたいして、大きな怒りが湧いてきてしまう。そんなふうに、初対面の相手との距離が測れない人が大嫌いです。

初対面でなくても、その場における自分の立場を弁えていない人というのは困りものです。たとえば、「マリコさーん」と私を呼ぶ若いライターさんがいたとします。その人と一緒に、地方の講演会に行ったとする。地方のお偉いさんが、「林先生、今日はどうもありがとうございます」と恭《うやうや》しく出迎えてくださっているような状況で、「マリコさーん、こっちこっちー」と呼びかけてくるようなときに、「この子、ちょっと間違ってる……というか、バカだな」って思います。

私は、会えば、「ハヤシさんって、そんなにやさしい人だとは知らなかった」と言ってもらうことが多いんですけど（本当です）、人との距離感の持ち方がわからない人にたいいしては、すごく厳しいと思います。

また、一流の人か二流以下の人か、を見分けるポイントの一つに、「有名人の名前の出しかた」があると思っています。

二流以下の中途半端な人ほど、有名人のことを、

「あー、○○さん？　よく知ってます。このあいだも……」

と、自分が数分だけ会話をしたなけなしの経験（だいたい、どうでもいい話）を得意げに披露し始めたり、有名人と単に仕事上の付き合いで同席したことを、さもプライベートで親しくしているように話したりする。

よっぽど心を許している人に話すのでなければ、一流の人は、有名人との邂逅《かいこう》について微に入り細に入り誇らしげに話したりするようなことはしません。他人のネームバリューに頼らなくてもいい自信があるからです。

飲食店にも同じことがいえると思います。顔見知りになってくると「このあいだは○○さんが××さんといらっしゃって……」とペラペラ喋るお店があります。

そこで、お客さんが、「えーっ、本当ですかー」と喜びながらも、同時にその口の軽さを知ってお店に対する信頼を無くしていることに気づかないのです。まあ、私は「○○さ

んが来た」情報を知りたい気持ちが勝つ人間なので通うことをやめないかもしれませんが、万が一、プライベートで素敵な男性と会食をすることがあっても、そのお店には行かないでしょうね。

自分に投資すると「人気」がついてくる

さて、格差の話にもちろん関わってきますし、野心を持つためのモチベーションとしても避けては通れない、お金の話をすることにしましょう。

人生の選択肢は、多ければ多いほどいいと私は思います。

母はよく、「貧乏って、消極的になるから悲しい」と言っていましたが、その通りではないでしょうか。お金がないと、どうしても行動範囲が限られてくる。

単に贅沢をするためのお金ではありません。高級旅館に泊まる必要はないけれど、あの国に行ってみたい、少し遠いけどあの国宝を自分の目で見てみたいというときに、どうしてもお金は必要です。もっとも私は、一泊五万円の温泉旅館に行ったりという不必要な贅沢も自分にとって大切だからやりますけど、ここで俎上《そじょう》に載せるのはその類のお金の話ではありません。

たとえば、ヴェネツィアのサンマルコ広場に一度は自分の足で立ってみたいとか、アムステルダムの美術館でフェルメールの絵を直《じか》にこの目で観てみたいとか、屋久島の縄文杉を拝みたい、と思い立ったときに、すぐに行けるお金があるかどうかということは、その人の生き方にかかわってくる問題だと思うのです。

そういう意味では、オペラを観たいと思うとイタリアに行くし、「海老蔵の襲名披露公演を観にパリへ行かない？」と言われたら即座に行くし、私自身もずいぶんお金がかかっている人間です。

もちろん、半径五メートルの中で暮らしていて、そこで職人的にひとつのものを極めていく生き方もあります。しかし、いろいろなところに出かけて行って、何かを観るために費やしてきたチケット代であるとか、さまざまな国や地方に行った旅行代金は、人としての魅力や人気を高めてくれるお金であると私は思います。

最近は、若い人がみんな貯蓄に走っているらしいですね。先の見えにくい世の中だから気持ちはわかります。この浪費家の私だってようやく老後に備えて貯金をするようになったんですから。でも、たまには気前良く、観たいものを観に行ったり、自分に投資することとは必要ではないでしょうか。せこい人にはせこい人生が待っているのです。

そうして費やしたお金は何にいちばんわかりやすく反映されるかというと、会話の面白さだと思います。というのも、つい先日、知り合いの奥さんから、

「ハヤシさんと話していると、男の人は楽しいでしょうね。政治や経済のことだって話を合わせられるし、オペラや歌舞伎や小説のこともわかるし、あと美味しいワインやお店も知ってるから……」

と言われて、泣けるほど嬉しかったんです。たしかに、いろんなものを観に行ったり、食べたり、ということにはずいぶんとお金をかけてきましたから、ああ、やっぱり、自分に投資してきた甲斐があったのかなぁと、報《むく》われる思いがしました。

さて、そうして自分への投資が実を結び、会話の面白い人間になっていくと、いろんな人が寄ってくるし、お座敷がいっぱいかかるようになります。そこで、また面白い人に出会って、さらにどんどん会話が広がって魅力的な人間になっていくのです。

私は、下品にお金を儲けている人は嫌いですけど、まっとうにお金儲けをしている人たちは大好きです。なんといっても、彼らにはやはり、面白い人が多い。

ドイツ人の劇作家、コッツェブー（一七六一〜一八一九）の名言に、「『貧困は恥にあらず』というのは、すべての人間が口にしながら、誰ひとり心では納得していないことわざ

である」というのがあります。

やはり、お金は大事です。バブルのときに「お金に左右される生き方はヘン」とか「お金なんて実はなんの価値もない」という反動がありましたが、その後の不景気な時代を経ても、本当の意味でお金に取って代わるほどの価値は、誰も見つけることができていません。好奇心の赴くままに行動したり、ここぞというときに前へ進んで行くためにも、人生を豊かにしてくれるお金は不可欠なのです。

野心と強運の不思議な関係

デビューの時から「ハヤシさんは、本当に運がいいね」と言われ続けてきました。

「だって、私が努力してるからだもん」と反発心を覚えた時代もありましたが、五十歳を過ぎた頃から、欲しいものを手に入れることができた自分は、運に恵まれ、健康にも恵まれ、時代も良かったんだなと素直に認めることができるようになりました。

運と努力の関係とは面白いものです。自分でちゃんと努力をして、野心と努力が上手く回ってくると、運という大きな輪がガラガラと回り始めるのです。一度、野心と努力のコツをつかむと、生き方も人生もガラッと変わってくる。

とはいえ、運とは、本人の気持ちや努力次第という単純なものだとは私は思っていません。これは本当に不思議なんですが、もっと大きなところ、人間の力が及ばないところにある力が働いているんだと考えています。

もう少し詳しく説明しましょう。

人生には、ここが頑張り時だという時があります。そんな時、私は「あっ、いま自分は神様に試されているな」と思う。たとえば、仕事や勉強を必死でやらなければならない時なのに、つい気が緩み、ソファに寝そべってお菓子を食べながらテレビを観ているとします。しばらくするとハッとして、「いかんいかん。この姿も神様に見られてるんだから、頑張らなきゃ」と再び机に向かうんです。

ちゃんと努力し続けていたか、いいかげんにやっていたか。それを神様はちゃんと見ていて、「よし。合格」となったら、その人間を不思議な力で後押ししてくれる。

この不思議な力を身をもって実感したことがありました。

一九八六年、直木賞の発表を待っていたときのことです。その数年前までテレビによく出ていたこともあり、選考会当日、事務所には「今日は一日、林真理子さんを追います」とレポートを始めるワイドショーの方々などマスコミの人たちが八十人くらい大挙してやってきたので、私は近くの雀荘《ジャンそう》に編集者たちと避難して、麻雀をしながら発表を待っていました。

すると、役マン級のものすごい上がりが続くのです。その前にも十年近く麻雀をしていましたが、そんな見事な上がり方をしたことは一度もありません。出る手、出る手がすべて、連続して役マン級の上がり。あまりのことに、私は恐ろしくなってきました。

何か不思議な、自分の力が及ばない大きな力が働いているのをはっきりと感じたのです。

果たして、その夜、四度目のノミネートで直木賞をいただいたわけですが、あの日、一緒に雀卓《ジャンたく》を囲んだ編集者たちも、その時の体験をとても怖かったと言います。

自分にはいま運が回ってきているなぁという実感は、『ルンルン』の出版が決まった頃からありました。そこそこ知られている程度のコピーライターが本なんて普通なら出せなかったはずなのに、糸井さんのおかげでコピーライターブームがあり、たまたま主婦の友社の編集者と知り合って、という、自分にとってラッキーなことが続いていました。

そもそも、最初に出した『ルンルン』が（単行本と文庫を合わせると）ミリオンセラーになることだって、普通はありえません。あの頃、第二、第三の林真理子っていう人が雨《う》

1983年秋、フジテレビのイメージキャラクターとしてCMでも共演した「いいとも青年隊」と。キャッチコピーは「おもしろロマン・フジテレビ」

後《ご》の筍《たけのこ》のようにいっぱい出てきましたが、……自分で言うのも誰も残りませんでした。嫌らしいですが。

なんだか自分はついてるなぁと思っていると、幸運とはどんどん続くもので、フジテレビのキャンペーンガールに抜擢されたのも、たまたま講談社の編集者の結婚披露宴に招《よ》ばれたことがきっかけでした。その編集者の大学時代の先輩で、当時、フジテレビの広報部長だった方が私のスピーチを面白がってくれて、キャンペーンガールをやってくれないかという話になったのです。

その後も、「紅白の審査員になる」と言ったら誰も本気にしなかったのに、その年の年末に審査員をやらせていただいたり、ふわふわと、心に羽が生えて飛んでいってしまうような日々が続きました。

運というのは一度回り出してくると、まるで、わらしべ長者のように、次はこれ、その次はこの人、と、より大きな幸運を呼ぶ出会いを用意してくれるのです。

しかし、ここで忘れてはなりません。空の上から自分を見ている強運の神様の存在を。強運の合格点を貰うには、ここぞというときに、ちゃんと努力を重ねていなければならないことを。

その「ここぞという機会」を自分で作り出すのが、野心です。私が強運だと言われているのも、次々といろいろなことに挑戦し続けてきたからだと思います。

もちろん、いまも、小説は一作一作、いつも新しい挑戦をしています。知らない世界のことを取材して勉強する。努力しているはずなのに、なかなか上手くいかないこともあります。でも、挑戦をし続けなければならない。それは作家が第一線に居続けるためには、当然のことだと思うから。

さて、この章では、野心を持つためのモチベーションについて考えてきました。少し、自慢話が過ぎてしまったかもしれませんね。次章では、何も持っていない上に、野心も運もまったく上手に回せていなかった、暗黒時代の私の話から始めることにしましょう。

愛猫のスコティッシュフォールド、故ミズオと(1989年)

第三章　野心の履歴書

不採用通知の束を宝物に

ここまで読んでいただいて、野心を持つと何か良いことがあるかもしれないと、少しは思ってくださったかもしれません。しかし同時に、私にはこんな声も聴こえてくるような気がします。

「だって、ハヤシさんが有名になったり成功していったのは、まだまだ日本が元気だった頃のお話じゃないですか！」

はい。その通りです。これにたいしては残念ながら、いかなる論拠をもっても反論できないと思います。まさか、親の世代よりも子どもの世代のほうが貧しい時代がやって来るとは、自分が若かった頃には想像もつかなかったことです。

私が駆け上がって来たのは、日本という国が右肩上がりで、もっともっと自分たちは幸せになれるんだ、と信じていることができた時代。いくら政治が変わったって、まだまだ「閉塞感」という言葉がいちばんしっくりくる現在とは大違いです。

おまけに私は、つい、「二流三流ではなく、一流の会社に入ることを目指して」などと声を大にして言ってしまうのですが、いまはたとえ一流の大学を出たって、なかなか社員としては雇ってもらえず、非正規雇用者としてしか働けない人が多い。いくら野心を抱け、と若い人の背中を押してみたところで、「そんなの無理じゃんか！」と言われれば、それでおしまいになってしまうのはわかっています。

でも、あえて、女ドン・キホーテと言われようが（激安の女という意味ではありませんよ）、野心を持つことを私がすすめ続けるのは、自分が本当に何も持っていないところからのスタートだったということには自信があるからです。

時代が時代だけれども、たとえばいまはインターネットがある。私の知り合いでも、人気ブロガーだった知名度を元にビジネスを始めて成功している女性がいます。また、最近は海外で就職する日本人も増えているそうですね。

せめて、正真正銘ゼロからスタートした私の話から何かを感じて、野心を持ってもらうことはできないだろうか——。それを信じて、再び本論に戻りたいと思います。

「フリーター」という言葉もまだ無かった時代、無職の貧しい女の子のお話から始めます。

就職活動の時を迎え、出版社や銀行など四十社以上の就職試験を受けまくった私は、のんべんだらりと大学時代を送ったツケで、見事に全社から不採用通知を貰いました。

太った身体にトロい顔。若い女の子が大なり小なり持っていそうなかわいらしさは持ち合わせていませんでしたし、何の資格も持っていない、おまけに大学の成績も悪かった女を社員として雇ってくれるほど、世間は甘くはありませんでした。面接に行ってもゴミのように扱われたものです。

いまの時代、志望する仕事に就くことが難しい若い人たちは本当にたいへんだと思いますが、当時は、たとえオイルショックの後だったとはいえ、就職できないのが世間的に当たり前という時代ではなかったので、なおさら肩身の狭い思いをしました。

しかし、私は、貰った四十通以上の不採用通知の束をリボンで結んで、宝物にしていたんです。

あまりに呑気というか、正気の沙汰ではないと思われるかもしれませんが、きっと、いまにこの不採用通知の束を懐かしく眺める日が来るだろう、近い将来、私のところへ取材にきた出版社の人に手紙の束を見せながら、「あなたがいる会社も含めて就職試験、全部落っこちちゃってー」と笑って話せる日が来るだろうと信じていたからです。

大学を卒業してからは、日雇いで日給千八百円の印刷工場の工員などをした後、少しでも高給を得るべく、千葉のクリニックでハゲのおじさんに植毛する毛を注射針に一本ずつ入れていく、あまりにも地味なアルバイトをしていました。

綺麗なＯＬは上り電車に乗って都心に向かうのに、汚い格好をして下り電車で千葉に通う日々。当時の私は、上池袋の家賃八千六百円、風呂なしの四畳半のアパートに住んでいました。四枚入り四十円の食パンで食いつないでいたこともあります。貸本屋さんで本を借り、今川焼をたまに買って食べるのが至福の瞬間でした。

貧乏で先の見通しは何も立っていなかったけれど、不思議と、落ち込むほどの悲愴感はありませんでした。当時は日記を書いていましたが、それも、いまに私は大金持ちになって貧乏時代を懐かしむ日が来る、と確信していたから。これほどの貧乏はもう自分の人生にはないはずだから、将来の自分がすっかり忘れてしまうであろう貧乏生活の記録をつけていたのです。大金持ちになる根拠など何ひとつないのに、このままの私であるはずがない、と思いながら、いつも何年後かの自分を想像していました。

アンジェラ・アキさんの代表作に、「手紙 ～拝啓 十五の君へ～」という歌がありま す。「十五歳の僕」と「大人になった僕」が手紙を交換する名曲ですが、この曲の歌詞と同様に時空を超えて、私は未来の自分によく手紙を書いていました。

大学時代には、たまたま綺麗に撮ってもらった自分の写真をアルバムの一ページ目に貼り、

「何十年後かの真理子さんへ。十九歳の貴女を見て、いまの貴女はどう思いますか」

と書いていたものです。

まあ、ロマンティストと言ってしまえばその通りのお恥ずかしい話なんですけど。人生は常に流れているけどつながっている、年を取った自分は十九歳の自分を見て、ある種の満足感を持っていなきゃいけない、「昔は良かった」と過去を懐かしむような自分にはならないぞ、という決意を込めていたんですね。未来の自分は、「いまの私がいちばん幸せ」と、いつも思っている自分であってほしいというメッセージを託していました。

それは、「前向きな人」と称される人たちが、やみくもに明るい未来を信じている感覚とはまた違います。私は常に、何十年後かの自分を、より具体的に想像していました。汚い団地のおばちゃんになって、「私も昔は綺麗だったのよー、若くてぴちぴちしてたのよー」と言っている自分では絶対にあってほしくないと思っていたのです。

努力が報われない時代とさえ言われるいまであっても、未来の自分を想像しながら、けっして投げやりな気持ちにはならないでほしい。シビアに将来の自分の姿を見据えながら

も、同時に自分を信じて、幸福な自分の未来を想像してほしい。すると、そのためには何かをしなければならないという気持ちが、自然に湧き上がってくるのです。

十九歳の真理子さんへ

こんにちは。お久しぶりです。四十年後の真理子です。

テレビに出まくっていた大昔に比べると知名度は圧倒的に低くなってしまいました。本だって思うようには売れてくれない時代です。新婚当初はラブラブだった夫からは、晩ごはんのおかずがいまいちだとか、もっと早く帰って来いといつも文句ばかり言われていますし、娘は生意気ざかりです。

でも、おかげさまで私は現在、いまの自分がいちばん幸せだと思うことができる人生を送っています。貴女もこれからが大変だと思いますけど、がんばってくださいね。ずっと応援しています。

五十九歳の真理子より

いじめられっ子だった中学時代

さて、そろそろ「もしかして、ヘンな人？」と不安に思われている気配がします。「貧乏時代に未来の自分へ手紙を書くとか、結局ハヤシさんの特異体質なんじゃないですか⁉」という声も聴こえてくるような。

では、なぜ私はそんな特異体質の人間になったのか。

ここで、私がいじめられっ子だった時代の話に遡《さかのぼ》りたいと思います。

中学時代にいじめられていた話を切り出そうとすると、お約束のように、

「またまたー。どうせハヤシさんのことだから、それは、いじられて面白がられていたってことでしょう？　ボケ役の人気者だったんでしょう？」

というリアクションが返ってきます。

しかし、私が、山梨の中学時代に「林真理子を百回泣かせる会」を結成した同級生の男の子たちから、画鋲《がびょう》を載せられた手を無理矢理に握らされたり、お習字の時間に顔に墨を塗られたりした経験を話すと、皆が信じられないといった表情で絶句してしまいます。私自身が夢物語のように思っている話なので、当たり前の反応なんですけどね。

椅子の上に剣山を置かれたり、っていうこともあったのですが、そういう肉体的いじめ

のほうがましでした。私も「ああ、彼らは、私のことが好きなんだ、構いたいんだ」と考えようとしていましたし、いえ、本当にそう思っていたのかもしれません。

そのうち、だんだん悪質になってきて、「無視無視〜」とか「近くに寄るな〜」と言われて仲間はずれにされるようになった時は、さすがにとても傷つきました。いじめのきっかけは、中二のホームルームの時間に、私が男子に歯向かって何か言ったことらしいんです。自分では全然覚えてないんですけど。

幼なじみの同級生によると、中一の国語の授業での最近の日本語は乱れているという話題で、先生がいくつかの助詞を挙げてその違いを説明できるかと尋ねた時、他には誰も答えられなかった教室で、私は一人すらすらと説明したのだそうです。また、実家の書店で店番をしては、雑誌から大人向けの小説まで何でも読みまくっていましたから、いろんな雑学にも詳しかった。成績は中くらいでしたが、頭だけはませている中学生でした。

ですから、弁は立ったけれど、体育は苦手だし、デブだし、服装はだらしないし、嫌われても仕方なかっただろうなぁと当時の写真を見るたびに思います。すごく卑屈でしたし。何も悪いことをしていないのに、みんなに気に入られようとして「ごめんね、今日の掃除は全部、私がするから」と言って一人で掃除をするような子でした。

卑屈な一方で、意地も悪かったんです。もう最悪……。修学旅行に行く前に、班を組みますよね。仲間はずれにされかかっていた私は、これはまずいと思って、自分より一段ヒエラルキーの低いところにいる子と一時的に仲良くして、班分けする時に元の友達からその子を奪い取ってしまったこともありました。唯一の友達を私に取られた女の子が号泣したのを覚えています。いまでいう〝スクールカースト〟残酷物語です。

いじめは相変わらず続いていましたが、家に帰って泣くようなこともありませんでしたし、忙しい親にも心配はかけたくないから、いっさい話しませんでした。子ども心に「こんなこと、長く続くはずないもん」と思っていたんです。それは、やはり、当時から人生をどこか引いた目で見ていたからなのかもしれません。

しかし、中三になると、女の子たちまで私をなんとなく差別し始めた気配がありましたから、このままでは高校に行っても楽しくない日々が待っているだろうという危機感はありました。そして、いじめられる生活から脱出する作戦を私は立て始めました。

「新規まき直し」作戦

私をいじめている男の子たちは、みんな成績の悪い子ばかりでした。どうせ彼らは、田舎の商業高校や工業高校に行くから、中学を卒業したらもう関係ありません。では、私を心の底で見下している女の子たちから逃れるにはどうしたらいいか。

自分の成績からすると近くの女子高に進むのがごく普通のコースでしたが、そんな子たちが来られないレベルの高い高校に行こう、彼女たちとはサヨナラして「新しい自分に生まれ変わりたい！」と思ったのです。

当時の県立日川《ひかわ》高校は、地元では名門として知られていて、女子は中学の成績がトップの十人くらいしか入れない高校でした。自分の成績ではとても無理だったので、必死で勉強をし始めました……としたいところですが、私は先生に「いずれ大学に行くので日川高校に行きたいんです」と拝み倒して内申書の宛名を書き換えてもらったんです。こういうところがまた私のイヤなところなんですけど……。手段を選ばない〝抜け駆け〟戦法でしたが、めでたく私は日川高校へ進学できることになりました。

日川高校は男女共学校でしたから、女子高に進学する同級生の女の子たちからは妬《ねた》まれて、「ずるい」とか「汚い」とかさんざん言われました。中学の卒業アルバムにも「あんたなんか嫌い！」という捨てゼリフが書かれています。でも、私にしてみれば、「言わせておけばいいや。どうせみんなとはお別れだしね～」という余裕の構えでした。心の中で、ざまあみろと思っていましたから、どんな非難も妬み嫉《そね》みも受け流すことができました。

そうして勝ち取った高校生活は中学時代とは一転、バラ色の日々だったのです。学園祭では主役を演じたり、男の子たちがラグビーで遠征に行くときは、先生に指名されて、私が毎回スピーチして全校生徒の前で「きみのーゆくーみちはー」と「若者たち」を歌うようなお調子者。友達に早く会いたくて、毎朝七時半には学校に行っていたほど楽しい日々でした。

高校進学をめぐるエピソードは初期の小説『葡萄が目にしみる』（一九八四年）にもちょっとだけ入れていますが、これが私の好きな言葉「新規まき直し」の最初の体験です。何か気に入らない状況があったら、それをすっかり取り払うために、具体的なアクションを起こしてみる。手段はどうあれ、自分の力で自分の進路と人生を変えることができたことは、その後の私の大きな自信につながりました。

最近の陰湿ないじめはまた別の話かと思いますが、登校拒否の子に「自分を助けられるのは自分だけだよ」と話したことがあります。いじめっ子たちから自分の力で逃れた経験は、結局、自分を救えるのは自分しかいない、ということも私に教えてくれたのです。

生まれて初めて努力をする

さて、大学卒業後、定職に就けず、植毛の仕込みのアルバイトをしていた貧乏時代に話を戻しましょう。

アルバイトを終えて家に帰っても本を読むかテレビを観るしかない、貧乏な上に退屈な日々が続き、さすがに、のんびり屋の私でも、このままではまずかろう……という気持ちになってきました。かといって田舎に戻っても本屋で店番するだけなのはわかっていたので、絶対に東京からは離れたくなかった。貧乏日記をつけているだけではなく、何か新しいことを始めなければ、という思いがようやく芽生えたのです。

この本では「努力」「努力」とえらそうに繰り返していますが、父親のだらしない享楽的な性格をそのまま受け継いだ私は、母からずっと「あんたみたいな人は死んでいるのと同じ」と言われ続けていたほどの怠け者でした。

定職もない、お金もない、男もいませんでした。何も持っていなかったから逆に不安材料がはっきりしていて、自分で一つ一つ手に入れなければ仕方ないという気になれたのかもしれません。もしも東京に実家のある家付きの子だったら、いまごろ私はどうなっていたのかなぁと思います。自分でどうにかしなければ、と思えたのは、やはりそれなりに追いつめられていたのでしょう。

スタートラインが後ろだから、最初から力を入れて走るしかなかった。でも、そのぶん、後で加速がついたのかもしれません。

とにもかくにも、怠惰な私が、生まれて初めて「努力」ということを始めたのです。最初は英文タイプを習ってみたり、英会話の勉強を始めたのですが、もともと英語が苦手なせいもあって、長続きするはずはありませんでした。さて、どうしたものか――。

そんなある日、銭湯に行こうと歩いていた道すがら、アパートの向かいの部屋に住んでいた女の子に会い、彼女がコピーを書いたという巣鴨《すがも》信用金庫のパンフレットを見せてもらいました。私が初めてコピーライターという職業を意識したのはこの時です。

本を読むのは好きだったので、自分は文章を書くことも好きかもしれない。また、当時は糸井さんの功績で、コピーライターという職業がもてはやされ始めていた頃でした。もともとミーハーでしたし、お向かいの彼女が書いていた巣鴨信用金庫のコピーを見て、不遜にも「この程度なら私だって書けるかも！」と思ったのです。

よし、コピーライターを目指してみよう、と決めた私は、彼女が教えてくれた「宣伝会議」のコピーライター養成講座に、植毛のアルバイトで稼いだ貯金十四万円のうち十二万円を支払い、アルバイトの傍ら講座に通う日々が始まりました。

貯金はほとんど無くなってしまいましたが、この時、思い切って大枚を叩《はた》いて講座に通っていなければ、その後の運命も何も開けてこなかったわけですから、非常に意義のあるお金の使い方をしたと思います。

この講座には半年間通ったのですが、いまでも当時の自分を褒めてあげたいくらい、生まれて初めて必死で頑張りました。毎回、課題の成績はトップクラスで、授業の最初に前回の優秀作がみんなに配られるんですが、いつも私の作品が選ばれていました。

新発売の自転車が課題になった回では、コピーだけではなく、CMソングも作って一緒に提出したほどの凝りよう。自分で作曲はできませんから、音楽通の知り合いの家にケーキを持って頼みに行って、曲をつけてもらいました。

ちなみにこのエピソードは、のちに私が有名になったとき「林真理子ギター弾き語り事件」として流布されました。私が教室で自作CMソングをギターの弾き語りで熱唱して、みんなが唖然としたという話には四人も証言者がいたんですが、実際、私はギターを弾けませんし、持っていたことさえないんです。人の記憶とはいいかげんなものですね。

閑話休題。こうして、（残念ながら最高の賞は別の人だったんですけれど）二番目の優秀賞をいただいてコピーライター養成講座を修了した私は、紹介で、ついに就職することができたのです。渋谷にある広告制作会社でした。

高校進学の時に次いで、これが私の二度目の「新規まき直し」経験になりました。

いまの自分はまずいなぁという状況なら、思い切って「河岸《かし》を変えてみる」こと。小説なら、とりあえずシーンを変えてみましょう、という感じです。

人生のリセットは何度でもできるんです。でも、自分でないとできない。新規まき直しに一度成功していたから、自分を信じて馬力《ばりき》を出せたということもあると思います。新規まき直しを繰り返すと、さらに自信がついてくるんです。

講座に通ったお金も自分で稼いだお金でしたから、この経験が私に与えてくれた自信はまた格別なものでしたし、人は努力をすれば何かを得ることができるんだということを何よりも学ばせてくれました。

電気コタツで泣いた、どん底時代

そうして意気揚々と最初の会社に勤め始めた私ですが、強運の神様がそう簡単に優しくしてくれるはずもありません。勢いに乗って、そのまま売れっ子コピーライターに……というほど、強運の神様も世の中も甘くはありませんでした。

この会社にいた期間が、私の人生におけるいちばんのどん底期だったかもしれません。仕事はすぐに突き返されるし、「バカ」とか「早く田舎に帰れ」とさんざんいじめられました。中学時代のいじめよりも辛かったなぁ……。

いじめられて当然というくらい、私がドジでのろまだったことは事実です。御中の「御」の字を間違えて年賀状の宛名を書いて何百枚も刷り直しになったりだとか、雨の日におつかいに行くとすぐに書類をびしょびしょにしてしまったりとか。とにかくやることなすことすべてが、みんなをイライラさせていました。

それに昔の私は、あからさまに「私のこと誘ってー」「私も仲間に入れてー」っていう、縋《すが》るような目をする女でもありました。そういう人って、うざいと思うんですよね（いまの私はとにかくお誘いが多く、スケジュールを調整するのが大変な身になってなおさら当時の自分の鬱陶しさがよくわかるのです）。

その会社でも、みんなでディスコに行ったり、呑みに行ったりする時には、私だけメンツから除外されて。おしゃれなスタイリストの人が会社に来ると、「じゃあ、みんなで遊びに行こうよ」と業界ノリでキャッキャやってるのに、いつも私だけ仲間はずれ。耳をすませば、「あいつ、本当に洋服もダサいし、デブだし、連れ回せないよなー。うちの社員って紹介するのが恥ずかしい」っていう声が聞こえてくるわけです。

毎朝、一番早く出社して、灰皿を換え、掃除をして、一生懸命やっているのに、誰も認めてくれない。当時はコンビニがありませんから、みんなの夜食のサンドイッチを作っても、「なんだよー、このサンドイッチ、乾いてるじゃないか」と文句を言われたり。一方で、初期のエッセイにも何度か書いている「Mちゃん」という要領のいい子がいたのですが、彼女が缶ビールを買ってくると、「気が利くなー」と褒《ほ》められる。次の日に見ると、彼女は缶ビール代を出金伝票につけているわけです。会社のお金を使ったMちゃんは褒められて、私が自費で作ったサンドイッチはけちょんけちょん。その理不尽さに呆然としました。

仕事も、いまなら三十秒で書けそうなコピーが、当時は全然書けなかった。ひどいものでした。よく覚えているのが、駅ビルのチラシを書いたときのこと。テナントで入っていたバーの広告に「ウィスキーにしますか、スコッチにしますか、今宵のあなたは。」と書いて、大笑いされました。そのくらい、物を知らなかったんです。

チラシのコピー三行くらい、本当にどうでもいいような仕事なのに、何度も何度も突き返されていました。タクシーなんて乗れないから終電で帰って、二時、三時まで、ダメ出しされた仕事をやり直す日々。

冬は特に辛かったです。風呂なしのアパートは石油ストーブ禁止で、電気コタツしかありませんでした。深夜にコタツで仕事をしてると、テレビでは「岸辺のアルバム」の再放送をやっていて、ジャニス・イアンの主題歌が流れるたびに物悲しい気持ちになったものです。

仕事はうまくいかない。お金はない。男にはふられる。寒い。――真冬なのに、お金が無いからコートを買えなかったんです。ニットの〝ヤッケ〟、毛糸で編んだパーカみたいな上着で一冬過ごしたことがあります。あの頃は、ユニクロみたいなお店はないから、本当に困りました。寒くて、惨めで……。

母親から「大丈夫？」って電話がかかってきた時には、「うん。何も問題ない」と言ったあとに、泣いちゃった。中学時代にいじめられても泣かなかったのに、初めて泣きました。仕事だけではなく、人間性まで否定されたことは、本当に辛かった。

しかし、私はもちろん、日記をつけていました。幸せになった時に、こんなに惨めで、寂しくて、寒かったことをよく覚えておこう――。いまがどん底なんだから、良くなったときに読み返そうと、その日に何を食べたかまですべて、どん底生活の記録を続けていました。

小さな成功体験を大切にする

どん底時代をどういう心持ちで耐え抜いたかというと、「いまに見てろよ」っていうような不屈の精神ではないんです。「おかしいなぁ……私、こんなんじゃないはずなんだけど」という「???」の思いでした。

たとえ根拠が薄い自信でも、自分を信じる気持ちが、辛い局面にいる人を救ってくれるということはあると思います。

当時の私にとっては、高校進学もそうですし、コピーライター養成講座を優秀な成績で卒業したことは、もちろん自信につながっていました。それ以外にも、自分の小さな成功体験や人から褒められたことはたとえ些細《ささい》なことでも忘れないよう、大切に覚えておくようにしていました。

高校時代、担任の上野敦男先生が「将来このクラスから有名人が出るとしたら、林と藤原だ」と、早稲田に入ってラグビーで活躍した同級生とともに私の名前を挙げてくれたことが、その後、どれだけ私の励みになったことか。事あるごとに、「四畳半でくすぶってる場合じゃない、私は上野先生のお墨付きなんだ」と思って自分を鼓舞していました。

辛い時代に、会社のアルバイトの人が「ハヤシさんって、いまにきっと有名人になると思うわー」と何気なく言ってくれた言葉だって、私には大事な宝物でした。何年かにたった一度なんですけど、「あなたは、きっとすごい人になる」と誰かが言ってくれた。

自分を信じるということは、他人が自分を褒めてくれた言葉を信じるということでもあると思うんです。

一方で、野村克也さんがかつて「自分は特別な人間だという自信と、自分は普通の人間だという謙虚さ。この二つを同時に持っていたい」とおっしゃっていましたが、謙虚さを持つことも大事だと思います。そして、不思議なことに、自分を謙虚に見つめると、神様が何か一つ、ご褒美をポロッとこぼしてくれる。

私も「自分には本当に何の取り柄もないなー」と思うたびに、何かポロッと嬉しい出来事が起きたような気がします。たとえば、高校一年の時に山梨放送のオーディションに合格してラジオでDJをやることになったり、大学時代にはデパートの大丸が募集した作文のコンクールに入賞してパリに連れて行ってもらったり。

ただし、もともとオーディションや作文コンクールに応募していたのは自分ですから、ちゃんと実際にアクションを起こして、何かに挑戦していないと、ご褒美をもらうことはできないんですけどね。

ちなみに、高校時代に山梨放送でDJをやっていた時のラジオネームは「マリリン」。毎週水曜日担当で、アナウンサーの方のアシスタント役をしていました。でも、けっこう人気があって、ファンレターを貰ったりしたんですよ。

知らない人が自分を好きになってくれることが、こんなにも楽しくて嬉しいことなんだと知ったのは、「マリリン」の時が初めてでした。有名人になりたいと、その後の私が強く願うようになったのも、もしかすると「マリリン」の経験が大きかったのかもしれません。見知らぬ多くの人から愛されることの快感を知ってしまったといいますか。いまも、私の本を読んでくださる方々はもちろん、サイン会に来てくださる読者の皆様には、いくら感謝しても感謝し尽くせないくらい、心の底からありがたく思っています。

話を戻しますと、たとえ就職試験などで落とされたりしても、「きっと、自分はスケールが大きすぎるんだ」とか「私の良さがわからないとは、なんとまぁ目が節穴なのかしら」と思う、根拠のない自信を持つことは大事だと思います。

でも、それが行き過ぎると、「自分はすごく特別なのに、なんで僕の良さがわからないんですか」ってストーカーになったりするから難しい。野心と努力の関係と同様、自信と謙虚さの両方をバランス良く持っていたいものです。

有名になりたい！

さて、その後、辛かった最初の会社から二番目のゆるい会社に転職し、そこで一念発起《いちねんほっき》して糸井重里さんのコピー塾「糸井塾」に通い、そこから続くご縁で、最初の本『ルンルン』の執筆依頼をいただいたところまでは前述のとおりです。

次は、実際に私の野心と努力のエンジンが本格的にかかるまでのお話をしましょう。

一九八〇年代というのは、とても面白い時代でした。近年、私は非常に保守的で真面目な人になりましたから、いかにも「過去に無茶やってた時代なんてありませんよ」っていう顔をしていますが、当時はいろいろ「やっちゃった」ものです。

みんなが過激でしたし、周りの人がどんどん有名になっていきました。仲が良かったスタイリストが本を書き始めたり、昨日まで一緒に呑んでいた人が一夜明けたら有名人になっている。南伸坊さんが本を出したのなら、じゃあ、次は私も出したいな、っていう感覚。現在も第一線に残っている人たちが芋づる式に出てきた時代です。

かといって、私自身は最初から、本を出したい、小説を書きたいと思っていたわけではありませんでした。たしかに、広告業界に入る前の植毛アルバイト時代には、当時まだ十八歳だった中沢けいさんが『海を感じる時』で群像新人文学賞を最年少で受賞した（一九七八年）のに触発され、さっそく原稿用紙を百枚買ってきたこともありました。でも、何ヵ月もかかって十八枚しか書けなかった。何百枚も書くのは面倒くさいし、飽きっぽい性格の自分にはとても無理だと思っていました。今は月に三百枚以上書くわけですから、不思議なものですね。

とにかく有名になりたくて仕方がない女の子でした。お恥ずかしい話ですが、高校時代には女優になりたくて、劇団四季に入団しようかと願書を書いたこともあります（結局ポストに入れませんでしたが）。アルバイト時代には、歌が上手いと言われて、石井好子さん主宰のシャンソンのオーディションに応募したこともありましたけど、本気で歌をやりたいわけではないから長続きするはずもなく。当時は、アルバイト生活から脱出しなきゃと思う一心で、歌手でもなんでも良かったんです。あのとき、吉本興業からお呼びがかかったら、喜んで芸人さんになっていたと思いますし（私が「しずちゃん」0号になってい たかも）、もしも私が美人で「ホステスになりませんか」と声をかけられていたら、今ごろは銀座で夜の蝶たちを仕切っていたのではないでしょうか……。

さて、コピーライターの新人賞もいただき、広告業界では少し有名にはなっていましたが、もっと一流の仕事、たとえばサントリーのコピーとか大きな仕事がしたいのに、それはなかなか叶わない。自分でもコピーの才能に限界を感じ始めていた時にいただいたお話が、主婦の友社の編集者、松川さんの書籍企画でした。

松川さんとは秋山道男さんの事務所で知り合い、当時あった主婦の友社の「アイ」という女性誌で取材や記事のまとめをさせてもらったりしていました。また、TCC（東京コピーライターズクラブ）の新人賞を取った私は業界誌「ブレーン」で広告を批評するエッセイを書かせてもらっていたのですが、文章や視点が面白いと気に入ってくださって、書籍の企画を通してくれたのです。

「いままでにない女性の本音をエッセイにして、一冊作りましょう」

というのが松川さんの依頼でした。すごく嬉しかった。

しかし、私はその依頼を一年間も放置したのです。

ついに野心にエンジンがかかる

自分の本を出せる、ついに有名になれるかもしれない待望のチャンスがやってきたのに、なぜこの時、私はすぐに書き始めなかったのか。

まず、当時はすでに独立して事務所も作り、広告の仕事などで年収が一千万円くらいにはなっていたことがあります。上池袋の四畳半からもとうに抜け出し、東麻布のけっこう素敵なマンションの1LDKに住んでいました。

業界の人から、夜ごと楽しい呑み会には誘われるし、お付き合いしている男性もいました。でも、その人からは、自分は絶対に結婚しない主義だと宣言されました。彼は、その後も本当に結婚せず、いまだに独身だから許せるんですけどね。

また、当時、本の企画を通してくれた松川さんの上司が急逝されてしまったということもありました。松川さんも大変そうで、しばらく音沙汰も無かったので、私も、出版の話はこれで立ち消えになってしまっても仕方ないか、と思っていました。

……とはいえ、そうしたことはすべて言い訳。

何よりも、現実に野心と向き合うことが怖かったのです。

野心は満ちあふれ、自分は書いたらきっとすごいんだ、と思っているのに、一冊分の原稿を書くのは面倒くさかったし、なかなか勇気が出なかった。本を出せばすぐベストセラーになり、すっかり有名人になった自分を妄想している段階がいちばん楽しいわけです。いくら自信家の私だって、実際は書けないいんじゃないか、書いても面白くならないのではないかという懸念は当然ありました。たちまちベストセラー作家となっている、虚像の自分を崩したくなかったのです。

しかし、やがて、松川さんから「一年間も待っているのに、書かないってどういうことだよ」という連絡が来て、そのうちサラ金の督促みたいな電報まで来るようになり、ようやく私は腹を決めました。

——よし。こうなったら、絶対に面白い、誰も出していないような本を書いてやろう。

ついに、有名になりたいという野心に本気のガソリンが注入されたのです。

当時の書店の女性エッセイの棚には、落合恵子さんや安井かずみさんのような、女性らしい品のある本しか並んでいませんでした。「ああ、ここに爆弾をぶち込めば売れるだろうな」と私なりのマーケティングをしたんです。恋愛やセックスのあけすけなエピソードやちょっと下品なことまで、とにかく誰も書いていないような女性の本音を書けば絶対に売れるはず――。

あの時は、悪魔に魂を売り渡してもいいとさえ思っていました。普通のことを書いていたら、無名の自分が世の中に出られるはずはないとわかっていたので、何か過激なことをしなければならなかった。

本が出た後ですが、当時、中央公論社の編集者の方から「女性エッセイストとしてあなたが座る席はいま空いてるから、頑張りなさい」と言ってもらえたのは、とても励みになりました。

いまでこそ、女性の本音を書いた本が当たり前のようにいっぱい出回っていますが、あの頃はそういう類の本がまだ一冊も出ていなかった。詩人の高橋睦郎《むつお》さんは『ルンルン』を評して、「女性が排泄物を見ながら、自分の恋人に思いを馳せたことがあるだろうか」とおっしゃいました。そうです。排泄物をも解禁にして、本音を書いたのです。

松川さんに「文豪のように山の上ホテルで缶詰になって書きたい」とお願いしたら、主婦の友社で山の上ホテルを予約してくれました。宿泊費は自分持ちでしたけど。

一つのテーマで原稿用紙十枚くらいずつ書きなさいと言われた通り、一生懸命に書きました。松川さんも面白いと言ってくれていたし、書けたという満足感はありました。この

1982年『ルンルンを買っておうちに帰ろう』出版記念パーティーは生バンド演奏も入り、新人のデビュー作とは思えない大入り満員の盛況

時がやはり私の人生の最大の分岐点だったと思います。

こうして、ついに私の初めての単行本『ルンルンを買っておうちに帰ろう』が、一九八二年十一月に発売されました。

当時の私はまだ無名の新人。最初から順調に本が売れたわけではありませんでした。しかし、雑誌で紹介されたりするうちに徐々に火がつき、翌年の春には『ルンルン』はベストセラーとなっていました。

事務所の電話は鳴りっぱなしで、毎日毎日いろんな取材を受けました。当時、占いに行ったら「これから驚くようなことがいっぱいあるけれど、全部乗りなさい」と言われました。その通り、私の人生は激変することになります。

まあ、でも、電撃的に世に出てきた二十代の女性なら、普通は「女を使った」とか「カラダを張った」と噂が立っていいものなのに、なぜか、それだけはまったく言われませんでした……ぐすん。

「マイジャー」ではなく「メジャー」

『ルンルン』は単行本だけで三十万部売れましたが、無名の新人の本の初版部数が四万部という、強気の売り方でもありました。いまはもう考えられませんよね（註：現在、新人作家の書籍の初版部数はほとんどが五千部以下）。現在のような出版不況になる前、しばらくは初版は四万部くらい刷るのが当たり前だと思っていたほどです。幸運なスタートでした。

しかし、あの頃を振り返ると、やはり『ルンルン』を実際に書き上げたことが、私の人生の命運を分けたと思います。

「林真理子って、あんなに野心家だからさー」「あそこまで売り込めないよねー」と当時さんざん悪口を言う人たちがいましたが、成功した人を貶《おとし》めようと負け惜しみを言う人間は、自分がどんなに卑《いや》しい顔をしているのか知らないのでしょう。そして、彼らはもう誰一人として第一線には残っていません。野心は持っていても、実際に行動に移せなければ結果は何も残らないのです。

八〇年代にはイラストレーターの故・渡辺和博さんの造語で、メジャーとマイナーのあいだの「マイナーメジャー」、雑誌の「流行通信」に出ているくらいの「マイジャー」っていう位置づけが一番かっこいいんだという風潮がありました。「ど」のつく「どメジャー」になるのは逆にかっこ悪いという考えです。いまも、サブカルチャーの世界ではマイジャーの原則が生きているかもしれませんね。

でも、私には、そういう屈託が一切なかった。とにかく、有名になりたい一心だったんです。根っからのメジャー志向。フジテレビのキャンペーンガールをやった以外にも、当時、人気絶頂のアイドルだった松本伊代さんとドラマで共演したこともあります（共演といっても、ちょい役ですが）。

MC（司会）をする番組だって二本レギュラーを持っていました。ひさしぶりにテレビに出た時に、若いディレクターさんに「昔はテレビによく出ていたんですよ」と話したら、「コメンテーターとして活躍」というナレーションをされたのですが、当時の私は芸

1983年、当時人気絶頂の山田邦子さんと海外ロケへ向かう前の空港にて談笑

能人でもないのにテレビでMCをやっていました。

いまはテレビに出る時はそれなりに気をつけていますが、ただ有名になりたかった若い女の子が、出演依頼があれば喜んで承諾してしまうのは、私にとってはまったく自然の成り行きだったのです。そうして、テレビに出まくっていましたから、当時はまたもや、田舎者だとよくバカにされました。

現在も思うことなんですが、東京の人って、自分がいまひとつ大成できないのは、表に出ることが嫌いだからとか、恥ずかしいから目立ちたくないというようなことをよく言いますよね。でも、そんな言い訳をしているだけで何者にもなれないのは、才能と努力が足りないだけではないでしょうか。

私はシャネルを着れば必ず「似合わないくせに」と陰口を叩かれますし、いまも洋服を買うのは大好きですが、この服とあの服を組み合わせて……というようなコーディネイトをするのは大の苦手。本当におしゃれな人間には一生なれそうにありません。センスのある人って、普通のジーンズでおしゃれだったりするでしょう。そういう才能をまったく持ち合わせていないのです。おまけに、お金ができると肥満が必ずセットでついてくる（付け加えると、なぜか、いちばん太っていた時の姿ばかり、人の記憶には残っている……）。

しかし私は、人一倍の野心と人の二倍以上の意地悪さは持っていますが、いまも昔も狡《こう》猾《かつ》さとだけは縁遠い人間です。当時あれこれ悪口を言われながらも、野心いっぱいの、ときに見苦しかったであろう自分が有名になることができたのは、山梨の田園風景を見ながら育った純朴な心を多くの方々に感じていただけたからではないかと思うんです。

メジャーになるということには、大なり小なりの恥ずかしさがついてくるでしょう。そうした恥ずかしさをものともしない無垢《むく》な泥臭さは、野心の味方をしてくれます。都会人のスマートさは、野心の邪魔をすることもある。

欲望をカタチにするためなら、いざという時に少々かっこ悪くたっていいではありませんか。せいぜい八十年、一度きりの自分の人生なんですから。

激しいバッシングの日々

さて、『ルンルン』が出版される前に思い描いていたこと――紅白の審査員をやったり、CMに出たりということはすべて叶ったのですが、ある日突然、一通の手紙をいただきました。その手紙には、あなたは自分が普通の女の子の代表みたいなことを言っているけれど、すっかり有名人面していい気になるな、ということが書いてありました。

それが皮切り。ドドドドッと怒濤《どとう》のように悪口が寄せられるようになりました。林真理子バッシングが始まったのです。

びっくりしました。自分とは違う人格が、外で一人歩きしているような気持ち。それまでの私はいじめられることはあっても、会ったこともない知らない人から敵意を剝き出しにされるようなことはありませんでしたし、業界で少し重宝されるようになってからも、愚図でドジだったけれど可愛がってもらえるタイプの人間でした。なのに、有名になったとたんに他人の悪意がセットでついてきたのです。ショックでした。

バッシングのきっかけは、やはりテレビに出始めたことが大きいと思います。実際に出演していたのはほんの一～二年なんですけど、いまだに三十年前の当時の印象が一部の方々には根強く残っているようで、テレビの影響の計り知れない大きさを実感することがあります。

『ルンルン』を出した直後は、単に有名人になれればいいや、とか、テレビに出るのって楽しいとはしゃいでいた私でしたが、悪口を言われ始めてから、次第に「テレビに出てるばっかりじゃん」と言われるのは悔しいと思うようになりました。書く仕事に本気で取り組むようになっていったのです。

しかし、依然としてテレビにも出ていましたから、両立させるのは大変でした。テレビの収録で上がった熱を冷まして、書くための集中力を内側に向けていくには、どうしても二〜三時間はかかるわけです。夜十一時くらいに帰宅したとして、書こうと思ってもすぐには書けない。ようやく二時頃から書き始めて徹夜になることもしばしばでしたから、丈夫が取り柄《とりえ》の私があの頃はよく貧血で倒れたりしていました。

その後しばらくしてテレビに出るのを一切やめたのは、レギュラーでMCをしていた番組の視聴率が悪くて一クールで打ち切りになったこともありますが、テレビ業界の誰とも仲良くなれなかったことも大きかった。プロダクションに入っているわけでもないので、当然マネージャーさんなどはいません。着替えの洋服も自前で持って行っていました。一人でテレビ局に入り、昼や夜なのに「おはようございます」なんていうのも絶対に嫌だったので、私だけは「こんにちはー」「こんばんはー」と挨拶していました。自分の居場所はここではないなぁという気持ちがどんどん強くなっていきました。

また我々には、テレビに出ている人に対しては平気で呼び捨てにしたり、何を言ってもいいと思ってしまう傾向がありますよね。私もすごく舐められていたし、意地悪をされました。当時は、出版社の人からさえも、だまし討ちをされたことがあります。

女の子相手の人気雑誌から、有名人がメイクをするページに出てくれませんか、と依頼された時のことです。私もお化粧を習いたいからいいですよ、とメイクされて写真を撮ってもらったのですが、発売された雑誌を見てみると、私だけ別枠《べつわく》で「ブスの人のメイクはこうします」と書いてあったという酷い話……。頭に来て文句を言ったら、編集者とライターが「これは私たちの独断でやったことです。どうか編集長には言わないでください」と小さな花束を持って謝りに来ました。もう面倒くさくなって「はいはい」と流しましたが、こちらが好意的に取材を受けたのに、そういうしっぺ返しに遭《あ》ったり、人間不信になりそうな日々が続きました。

知名度を再浮上させるには

フジテレビのキャンペーンガールまでやる作家はこの先もなかなか出て来ないと思いますが、そんな私が十年くらい前まで、二十年間くらいテレビにはいっさい出ませんでした。でも、「林真理子は、作家の中の芸能人枠、特別枠だよね」と言われていたように、私もそれを意識していましたし、最初の印象が強烈だったせいか、名前と顔が一致する作家というポジションにしばらくは立っていられたと思うのですが、ここ三〜四年で状況はガラッと変わってしまいました。

たとえば、女優さんが貰う「ダイヤモンド・パーソナリティ賞」「ジュエリー・ベストドレッサー賞」みたいな賞も、ある時期まで文化人では私だけが特別にいただいていたのに、ここ数年で、まったくご縁がなくなってしまいました。

それに、いまの若い人って、本だけじゃなく雑誌も読まないので、ちょっと昔なら「あ！『ａｎ・ａｎ』の最後のページで連載してる人！」で認識してもらっていたんですが、もはや、それさえも叶わなくなってきたんです。

仲良しの作曲家・三枝成彰さんに連れて行ってもらったキャバクラでは、有名大学で日本文学を専攻しているアルバイトの女子大生から「好きな作家は東野圭吾さん。……ハヤシマリコ？　うーん、知りませんねー」と言われましたし、インターネットの接続で事務所に来てもらった通信会社の人は、応接間に飾っているパネルを見て驚いて「おたくの奥さん、なんでこんな有名人たちと一緒に写ってるんですか⁉ 何をされているかたなんですか⁉」と尋ねてきたそうです。「林真理子事務所」で契約しているのに。

この出版不況の真っ只中にドバイで撮影もしたフォトブック『美女入門スペシャル 桃栗三年美女三十年』を出した二〇一二年は、長年の付き合いの担当者、マガジンハウスの「テツオ」こと鉄尾周一さんが頑張ってくれて、プロモーションのためにいろいろなテレビに出演しました。そのおかげか、電車の中で「林真理子さんですよね。総武線に乗ったりもされるんですねー！」と声をかけられたこともありました。

以降、「この作家はテレビに出るんだ」と認識されたようで、ずいぶんたくさんのテレビ番組から出演依頼をいただきました。なんと、テレビショッピングからも（残念ながら、お断りしましたけど）。

昔のような頻度ではまったくありませんが、本が売れてほしいから、これからもたまにはテレビに出させていただこうと考えています。ＮＨＫの「課外授業 ようこそ先輩」という番組にも初めて出演しました。訪れた山梨の小学校の校長先生が、高校時代の同級生で驚いたんですけど。

かつて私が叩かれたのもテレビの影響がずいぶん大きかったわけですが、いま振り返れば、デビュー当初には単に有名人になりたいだけの女の子だった私を、物書きの仕事に専念しようと決意させ、作家という天職へと導いてくれたのもテレビでの経験だったように思います。

道に迷い込むことによって逆に、自分が本当に進みたい道がはっきりと見えてくるということは多いのではないでしょうか。チャンスがあれば、まずは挑戦してみる。そこで駄目だったら、では自分は何がやりたいのかを突き詰めて考えてみるのです。

作家になりたい！

とにかく本が大好きで、小学生の時から大人向けの小説も読んでいましたが、「有名人になりたい」とは強く願えど、「作家になりたい」と本気で思ったことはありませんでした。それはなぜかと訊かれれば、小説への畏怖《いふ》の念もありましたし、前述のとおり二十四歳の時に中沢けいさんに触発され、いざ小説を書こうとしてもまったく書けなかったということもあります。

初めての単行本となったエッセイ集『ルンルンを買っておうちに帰ろう』が出た後で、

最初に「あなたの今までの道のりを小説仕立てにしてみませんか」と言ってくれたのは講談社の編集者です。ベテランの編集者は「エッセイの一人称を三人称にして書いてみなさい」とアドバイスしてくれました。当時は出版社もいちばん良い時代で、フグを食べに連れて行ってもらったり、銀座のクラブで遊ばせてもらったり。ちやほやされて、ついその気になってしまったというのが始まりでした。

『ルンルン』の時とは違って、今度は出版社のお金でホテルに缶詰になりました。ずっと女性編集者が横にいてくれて、書かざるをえなかった。でも当初、執筆は難航しました。

当時の私は人気エッセイストにはなっていましたが、反面で「ブスを売り物にして」といった批判の声も大いに浴びていました。私を嫌う人々へのネタを、結局は自らのエッセイで提供してきていることとは、昔から現在に至るまで自覚しています。そうした状況にほとほと嫌気《いやけ》がさしていた私は、自伝的な小説の中で、自分とはまったく違う過去を持つ女、モテてモテて困る、恋多き女の遍歴を書こうとしました――が、無理な話でした。会話から何からすべてが空々しくなってしまうのです。

以下は、私の最初の小説『星に願いを』（一九八四年）の主人公・キリコの独白です。

自分の求めていたものとは、いったい何だったのだろう。

キリコのそれは、そのたびごとにめまぐるしく変わっていったような気がする。仕事、金、肉欲、名誉……。けれども誰が自分を責めることができるだろうと、キリコは思う。それが欲しいと思う時、いつもキリコは空っぽで、ひもじかったのだ。余裕をもって、自分の欲望を見つめた時などただの一度もない。

就職試験にすべて失敗して、お金のために植毛のアルバイトをするなどした後で、徐々に野心を開花させて成功するコピーライターの主人公が生まれました。

初めての小説を執筆する過程で、私は学んでいったのです。書くからには内臓までお見せする気で、目を背《そむ》けたくなるような自分をも切り刻んでいかなければならないことを。たとえ小説という虚構の世界において自分とはまったく違う人間を描く時であっても、それこそが自分にとっての「書く」という行為なのだ、ということを。

ある記者さんが昔、おっしゃった言葉はいまも忘れません。

「男がね、〝大きい方〟をする時は、すごく恥ずかしいんですよね。トイレの個室に入る時、人に見られると、死んでしまいたいほどの気分になる。だけどみんなにね、『オレはこれからウンコをするぞ！』って宣言して行くと、少しも恥ずかしくない。ハヤシさんの書くものって、これに似ているような気がしますね」

言われた時には多少むっとしたんですが、後々まで心に残る言葉でした。たしかに私の書くものは、人から文章以外で知られるよりも、みっともないことは自分から曝け出してしまおうと先手を打っているフシがあります。

一方で「エッセイとはつまるところ、自慢話である」とはしばしば言われることですが、小説よりもエッセイのほうが、物書きは嘘を吐くと私は断言します。いくら本音を売りにしたエッセイであっても、小説のほうが遥かに正直な自分が出てしまう。私小説でもなく、たとえそれが伝記小説であっても。

さて、そうして『星に願いを』に続いて、直木賞の候補作にもなった『星影のステラ』（一九八五年）を書き終えて思ったのは、自分で言うのもなんですけど、「えっ、もしかして私って、自分で自分のことを舐めていたかもしれない」ということでした。生まれて初めて敬意を払うべき自分に出会ったのです。

考えていたよりも、もっと豊かなものを持っている人間だったのかもしれない――。なのに、マスコミの中で適当にお金を稼ぐ人になろうなんて卑しいことを考えていた自分が恥ずかしくなりました。そうして、自分が書いた小説を正当に評価され報われたいと思い、ヘンなことを言ったりやったりするのは一切やめようと決めたのです。テレビから姿を消したのもこの時でした。

カリスマ編集者・見城徹氏の登場

『ルンルン』はよく売れましたし、話題作にはなりましたが、一方で、「嫌な女!」とたいへんな反感を買い、これ以上ないというくらい貶《けな》されもしました。しかし、振り返ると、あの本がなまじ褒められるだけだったら、私はその数年後には消えていたのではないかと思います。さんざん叩かれ、「あの女は、あとどのくらい持つのかねー」と意地悪く言われる無念さが、ぜったいに負けるもんかという発奮材料になったのです。

人に否定されたら、悔しい気持ちをパワーに変えてしまいましょう。凹《へこ》んでいるだけでは、悪口を言った憎たらしい相手の思うツボではありませんか。今に見てろよ、と思う打たれ強さを意識的にでも持ちたいものです。

当時の私も、こうなったら、林真理子の悪口を言うのはもう嫉妬にしかならないからみっともないよ、というところまで自分は上っていかなければならないと覚悟を決めました。その具体的な第一目標はやはり直木賞を取ること。実際に、直木賞候補になってから、「才能なんてこれっぽっちもない女」という悪口は少しずつ消えていったんです。

幸運にも二作目から四回連続で直木賞の候補となり、この頃には完全に、私の野心と努力は上手く回るようになっていました。とはいえ、『ルンルン』の松川さんもそうですが、やはり編集者がついてくれたことは大きかった。編集者と〆切の存在なくしては、私みたいな怠け者は無理。「すごい才能！」とか「いずれ直木賞を取れますよ」と言ってくれたのも、物書きの孤独な作業にはたいへん励みになりましたし。だから、新人賞の応募で、編集者もいないのに長編一千枚くらい書く人って、たいしたものだと感心します。

デビュー後しばらくして、当時は角川書店の編集者だった見城徹さん（現・幻冬舎代表取締役社長）とも出会いました。最初、「ケンジョウさんって読むんですよね？」と訊いたら、「この野郎、業界で超有名なこの俺を知らないのか」って怒られた後で、こう言われたんです。

「三つ、君と約束しよう。ひとつめはまず、うちで連載を書こう。ふたつめは直木賞を取ろう。それから……」

三つめの約束は、「オレに惚れないでくれ」でした。

これには呆然として「私は面食いなので、それはありません」と否定したところ、「みんなそう言うんだけど、やっぱりオレに惚れちゃうんだよなァ……」ですって。

実際に、見城さんは当時からものすごい握力を持っている編集者で、しばらくすると、ほとんど毎日一緒にいるようになっていました。食べたり呑んだり、次はこれを書こうと話したり。会わない日は必ず電話していましたし、とにかくいつも一緒で、肉体関係のない愛人のようでした……お互い本当に面食いなので、そういう関係にはなりえなかったんですけど。

見城さんとはあることで大喧嘩して二十年近く仲違いしていましたが、最近また会うようになりました。偉くなっても、面白いところは変わらないですね。

それにしても、あの頃は本当に楽しかった。直木賞は目前でしたし。「ベストセラー出そうね！　直木賞ぜったい取ろうね！」と前へ前へと進む日々でした。

スランプ——霧の中の十年

そして一九八六年、四度目の候補となっていた『最終便に間に合えば／京都まで』で、ついに直木賞を受賞することができました。

東京會舘での直木賞受賞会見には、通常ではありえない人数の記者が殺到した

私が自分に「作家」「小説家」という肩書を許すのは、直木賞をいただいてからです。当時は、他のジャンルで名を売った人間が小説を書くことに対して、たいへんな抵抗がある世の中でした。おまけに私の場合、作品を読んでくれていない人から、「小説まがいを書いているらしいね」と言われたり、最初から拒否反応を起こされていました（同じことを、いまも大なり小なり言われ続けていますけど）。

でも、ようやく「自分は小説を書くことを運命づけられていたのかもしれない」と思えるようにはなっていました。そうでなければ、あの『ルンルン』後の喧噪《けんそう》の中で、どうして毎晩、机に向かうことができたでしょうか。一行で済むからコピーライターになろうと一時は考えた怠惰な人間が、どうして何百枚もの原稿を書くことができたでしょうか。

しかし——。

そうして作家としての自信はずいぶんついてきたのですが、今度は「あんな女に直木賞を取らせて！」という大合唱が待っていたのです。またもや、負けるもんかと、もっともっと良い作品を書いてみんなを黙らせよう、と必死で書きまくるしかありませんでした。私にとって、本当に長かったのは直木賞を取ってからの十年。それは、直木賞を取るまでのゴール目前、とにかくもう少しだからラストスパート！　という高揚感とは違って、霧の中を進むような年月でした。

相変わらず、「女性向けのエッセイやユーモア小説に定評がある」と、ナントカの一つ覚えのように紹介されるだけの存在。どうすれば本当に実力のある、尊敬される作家になれるかあれこれ考えました。伝記小説や家族小説を書いたり、いろんな変化球を投げ続けたけれど、あまり売れなかったし、認められもしなかった。しかし、とにかく、がむしゃらに書き続けていました。

新聞や雑誌の連載を同時に何本も引き受けた時には、「時間的に無理でしょう、やめなさい」と忠告されたこともありました。けれど、背伸びしないと成長できないときもあると思うんです。無理だと思ってもやる。「自分の実力だとこれくらいの仕事量で、これくらいのスケジュールだ」と枠を決めてやると、絶対に、いまの自分以上には成長できない。
自分は直木賞を取っただけの作家で終わってしまうのかもしれない、としばしば不安になった霧の中の十年間でしたが、この期間にもとにかく書き続けてこられたことで、ちょっと腕力がつきました。自分ではすごく良く書けたと思った作品なのに、期待したほど売れなくてがっかりしたことも何度かありましたが、あまりにもたくさん書いたから、売れるも八卦《はつけ》、良い作品も八卦、玉石混淆《ぎよくせきこんこう》も仕方ないよね、という境地にまで至りました。

小説として上手に着地しなかったらどうしようとか、売れなかったらどうしようとか、次の作品を書くのをいちいち怖がっていては、作家の仕事を続けていくことは無理だと思うのです。

私は、直木賞以降の年月を自ら「失われた十年」と言うことも多いのですが、なにはともあれ、絶対にすべてを芸の肥やしにしてやる、と思って努力し続けていると、実は後でいちばん胸を張れる期間になっていたりします。たとえば仕事で干されたり、辛い時期に入っている人も、苦難は次へのステップだと信じて、どうか頑張ってほしい。

そうして、直木賞から十年目の一九九五年——。『白蓮れんれん』で柴田錬三郎賞をいただいた時は、受賞の知らせの電話口で泣いてしまいました。ああ、報われたんだなぁって。

その時の選評で、選考委員の半村良さんが、「もう軽薄調なエッセイを書くのはおやめなさい。あなたの作家価値を低めるだけだから」とはっきり言ってくださったことは、とてもありがたいことだといまも心から感謝しています。

たしかに、エッセイが私の作家としてのイメージ——尊敬されない部分を作ってしまっているのかもしれません。でも、同時に、エッセイで、私が愛されたり、良くも悪くも注目していただく面もあるのだとしたら、やっぱりやめる気はないんです。尊敬される作家になりたい気持ちはもちろんあるけれど、林真理子という存在を面白がってくださってい
る方々がいるかぎり、エッセイは書き続けていきたいと思っています。

さて、山あり谷あり停滞期あり——まるで私の体重の増減のような半生について読んでいただきました。自分の野心語りに終始してきたこの章の次は、私の小説とエッセイの大きなテーマでもある、女性の生き方について考えていきたいと思います。

赤坂プリンスホテルでの披露宴。ドレスはバラがモチーフ

第四章　野心と女の一生

した。

ママチャリの罪

二〇一二年の年末、働く女性のみならず、世間にも衝撃を与える調査結果が発表されました。

内閣府の「男女共同参画社会に関する世論調査」（平成二十四年度）では、「夫は外で働き、妻は家庭を守るべきである」という考え方について、「賛成」「どちらかといえば賛成」を合計した「賛成」（小計・以下同）が51・6％となり、三年前の調査（41・3％）よりも10ポイント以上増加する数字がはじき出されたのです。

特に二十代女性では、子育て現役世代である三十代や四十代だけでなく、五十代の賛成をも超える43・7％という、近年言われていた通り、女性の専業主婦願望が高まっていることが数字でも再び裏付けられる結果となりました。

なぜ、こうした逆行現象が起きているのか。

いろいろな理由が言われていますが、若い女性たちが専業主婦志望とならざるをえなかった原因を考えた時に、私の脳内には一つのイメージ映像が浮かんでくるのです。

保育園の送り迎えでママチャリを必死に漕いでいる、働くお母さんたちの鬼気《きき》迫る姿を

「夫は外で働き、妻は家庭を守るべきである」という考え方について

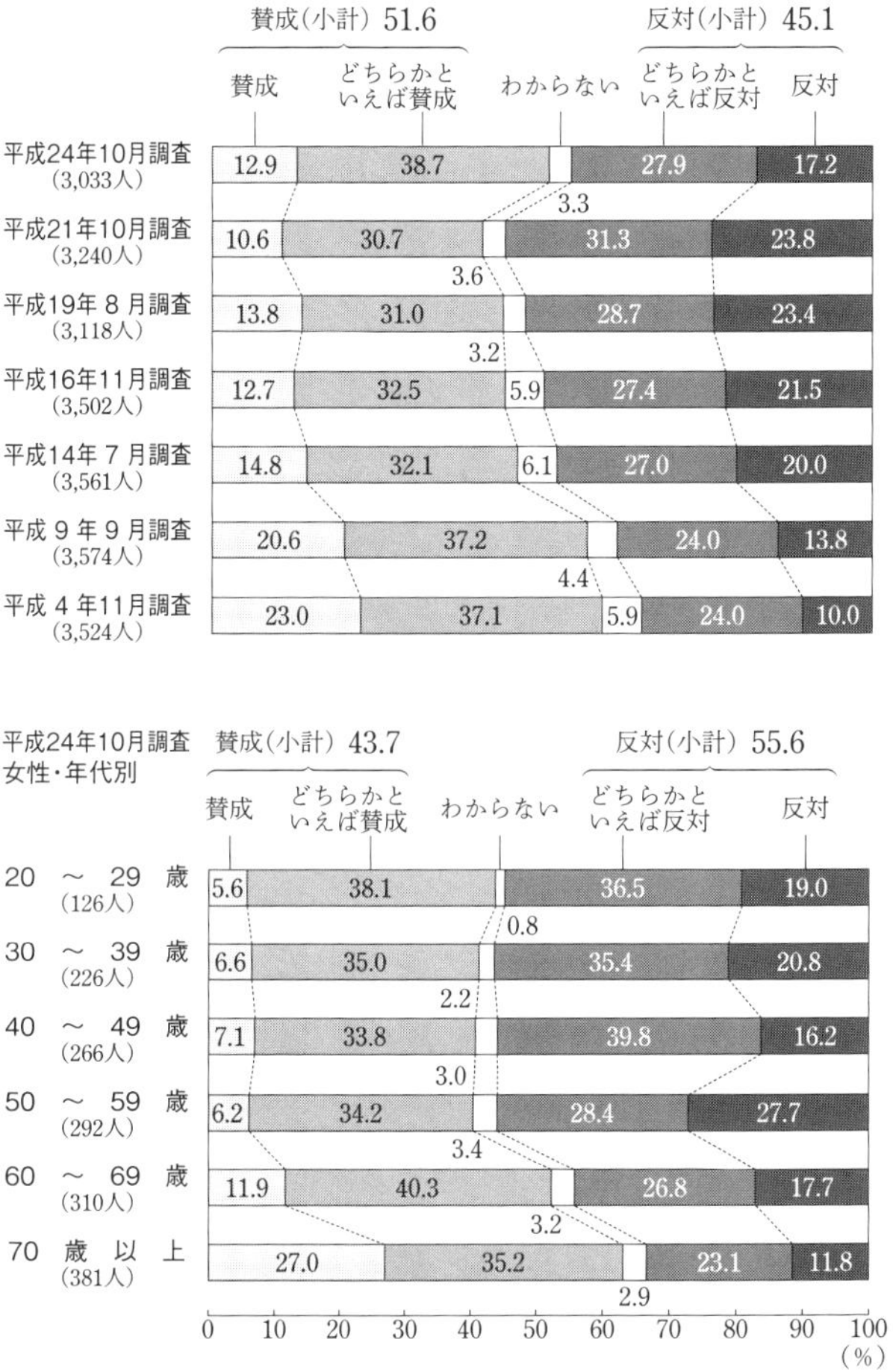

内閣府「男女共同参画社会に関する世論調査」(平成24年度) より引用

見て、若い子たちが「あああ無理！」と思ってしまった結果ではないだろうか、と。

たとえどんなに美人ママであっても、ママチャリ——子どもを前後に乗せることのできる自転車ですね——に乗って髪を振り乱している姿は、お世辞にも美しい姿とは言えません。少なくとも、他人から見て羨ましいとはなかなか思えないでしょう（「専業主婦だってママチャリに乗ります！」という声が上がりそうですが、あくまでもイメージ映像です）。

子どもを持って働くと避けられない、なり振りなど構っていられない余裕の無さを、多くの若者があちこちで見知ってしまったからではないでしょうか。

ここで誤解なきようお断りしておきますが、私は、仕事を持っている女性を誰よりも応援したいと思っている人間です。しかし、子持ちで働くお母さんたちの過酷な現実を知ってしまうと、自分にはとても無理だと思ってしまう若い人たちの心境も理解できる。

フルタイムで働くお母さんとその夫の大変さといったら、毎日が綱渡りのような日々です。熱を出したら預かってくれない保育園も多いですから、子どもが風邪を引いて発熱したらアウト、というギリギリの世界。保育を夜七時まで延長してもらって、夫と妻どちらかが迎えに行くけれど、ちょっとでもイレギュラーな残業が入ったりするとまたアウト。

少子化の危機感から子育てを奨励する一方で、都市部では待機児童問題が一向に解決しないなどインフラが追いついていない矛盾した社会で、共稼ぎをして子どもを育てるということがいかにたいへんなことか。

ここでも格差が広がっていて、ベビーシッターを雇えるお金があるとか、よっぽど理解のある会社に勤めているとか、困った時に子どもの面倒を見てくれる実家が近所だとか、そうした条件が整わなければ、髪を振り乱しながらの子育てになるのは仕方ないこと。

それに「イクメン」なんて言葉も生まれましたが、口で言うほど男性が家事や子育てを手伝ってくれたり、実際に役に立っている家庭はまだまだレアケースでしょう。小さい子どもがいて散らかり放題の家に、仕事で疲れ果てた身体で帰っていく辛さ……夫婦喧嘩も増えて、安らげるはずの家庭まで殺伐としてくる。

結局は、働くママたちにばかり負担が掛かっているのが現実。その姿を見て、無理をしてでも続けるほどの仕事にはどうせ就けないし、かといって専業主婦の自分と子どもを易々と養ってくれる男性もいまや一握り……八方塞がりの女性たちが、現実はさておき願いを込めて「女は家庭」という選択肢を取ったのは仕方なかったことのように思えるのです。

〝絶対安全専業主婦〟の存在

年下の友人女性は、立派な大学を出て証券会社に入ったのですが、電話で勧誘する仕事を任されたら怒鳴られっぱなしで、ついにはストレスで十円ハゲができてしまいました。彼女は職場の人と結婚して会社を辞め、いまは昼間からママたちとカラオケしたり、公園で子どもと遊んだりしていて、とても楽しそう。もう二度と働きたくないそうです。

「でも、お宅の旦那さんが、十円ハゲ作ってるかもしれないよ?」と言ったら、彼女は「それは仕方ないでしょ」って。大半の女性たちにはまだ「女は十円ハゲ作っちゃいけないけど、男は仕方ないよね」っていう気持ちが根強く残っているのは事実です。

日本の女性たちの意識はもっと劇的に変わっていくかと十年くらい前までは思っていたけれど、不況のせいか変わりませんでしたね。後退したのかもしれない。

では、もし悠々自適な専業主婦を目指すのだったら、やっぱり稼ぎの良い男の人を捕まえなくちゃいけない。それはもう、万に一つのチャンスです。

名門私立幼稚園に送り迎えに来るママたちは、ママチャリとは別世界に生きています。みんな美容院に行って来たばかりのようなクルンとした巻き髪で、バーキンを小脇に抱え、子どもの手を引いて〝歩いて〟いる。ママチャリで〝走って〟いる人などいません。目白や広尾で子どもと〝歩く〟羨ましいママになるにはどうしたらいいのか、という話。

ブランド校に子どもを入れているお母さんたちの中にはごく少数、たとえば私のように自分で這《は》い上がってきた人間もいますが、いまだにほとんどが、生まれながらにして「上流」で育ってきた人たちなのは事実です。

母の友人の娘さんで、私と同い年の人がいるのですが、高校生の頃から東京に行くと彼女の家に泊めてもらったり、よくお世話になっていました。幼稚園から名門女子大の付属に通っていた彼女（仮にA子さんとしておきましょう）は、高校生の時からゴルフを嗜《たしな》み、パーティーに繰り出したりしていました。ホテルオークラで同級生とごはんを食べたり、タクシーに乗るのは当たり前。タクシーを手慣れた仕草でパッと止めるA子さんを見た時の、田舎の高校生だった私の驚きといったら。ああ、彼女は自分とはまったく別世界に生きている人なんだなと強く認識せざるをえませんでした。

よく「専業主婦なんて、よくもまぁそんなリスクの高い選択ができるわね」とか「専業主婦ほど人生の大博打《ばくち》はない」ということを言う人がいますし、私もずっと同じように思っていました。しかし、それは中流以下で育って来た人間の発想なのです。

二十歳の誕生日プレゼントがゴルフクラブの会員権だったA子さんは、その後、田園調布のお金持ちと結婚して、お子さんたちは名門私立に入りました。A子さんのように育ってきた人は、「自分が不幸になるはずはない」と確信している。お金にはいっさい不自由せず、なおかつ美人だし、今まで良い思いばかりしてきた人々には、「自分の身に不幸が降り掛かるなんていうことはありえない」という〝絶対安全専業主婦〟の揺るぎない自信があるわけです。

そして実際、彼女たちには、たとえば旦那さんの会社が倒産したりリストラに遭ったり、とか、旦那さんが他の女の元へ逃げるといった不幸は起こらず、裕福で幸せな専業主婦としてずっと生きていく。生まれながらに上流の層にいる人たちにたいして〝専業主婦のリスク〟なんていうことを持ち出しても、何の意味もありません。

逆に言えば、A子さんのような生まれながらのトップ・オブ・トップ、何千人に一人の層には入っていない人が、彼女と同じような恵まれた境遇の専業主婦になれる確率はとても低い。たとえばものすごい美貌を持っているとか、稼ぎの良い人と知り合うチャンスを得るために努力したとか、あとはやはり類《たぐ》い稀《まれ》な運を持っているかということでしょうね。

他人を羨まずに生きていけるか

旦那さんには十円ハゲを作ってでも稼いでもらって、自分はそのお金で、ママ友たちとランチを楽しんだり、お稽古ごとを嗜みながら生きて行く――そうした一部のお金持ちの専業主婦ほど、女性にとって〝おいしい〟職業はないと思います。

私の知り合いの奥さんたちも、会社経営者の旦那さんはやさしいし、自分はボランティアの理事をやったり、とても充実した生活を送っている。お金持ちの奥さんって、世の批判にも悪意にもひとりで立ち向かわなければならない私にとって、ヨダレが出るほどいちばん羨ましい存在です。

ただ、前述のA子さんのような層で育っていない人間で、なおかつ自分ではたいした努力もしてこなかった女性が、子どもを良い学校に入れて、家も建ててくれて、自分にもお洒落をさせてくれるような稼ぎの良い旦那さんを簡単につかまえられると漠然と思っているのであれば、想像力の欠如も甚だしいと思います。

昔は当たり前に誰もが口にしていた「夫に求める条件＝年収一千万以上」なんていうことを大っぴらに言えば、いまや「ふざけるな」と張り倒されそうな時代です。たとえ「年収五百万」だって、言う場所を間違えれば、もはや軽い殺気を生みかねない。

不況で派遣社員にならざるをえなかった女性がいるとします。しかし、彼女は、もっとやりがいのある仕事に就きたいと真剣に考えることもなく、ただ「最低でも年収八百万クラス」の相手と結婚することだけを夢見続けている。運良く一流の会社に派遣されたのはいいですが、「誰かをつかまえよう」という一縷《いちる》の望みに懸けた、獲物を狙う鷹のような女性に引っかかる男性が果たして現れるかどうか。稼ぎの良い会社に内定した時点で、男性はどんどん鷹に狙われている世の中ですから。

結局、自分自身の仕事についてはぼんやりとしか考えてこなかった人が、理想の収入を稼ぐ相手と巡り会うことは叶わず、三十前後になって妥協して、年収三百万～四百万円の男性と結婚して子どもを生む。だから「節約術」が流行るわけですよね。

つまらない仕事を辞めたのはいいが、旦那さんの稼いできた三百万円でやりくりをする才能があるか。独身時代の服を着回し続け、髪の毛を縛って、子どもにはネットのオークションで買った五百円の服を着せる専業主婦になれるか。お金のある家や他の主婦を羨まず、終わらない節約ゲームを楽しめるか。

「節約主婦の人生でまったく大丈夫」と自信を持って言える人は、男頼みで生きていくことを考えていればいいと思いますし、事実、この層は年々増えてきているわけです。昔はブランド品を持っている人を羨ましく思う人がいっぱいいたわけですが、最近ではブランドに興味がある人自体がどんどん減っているのと同じこと。

しかし、優雅な専業主婦を脳内で漠然とイメージしているだけの人は、自分の人生や仕事について、もっと真剣に考えるべきです。

いまの五十代以上の専業主婦の時代には、普通のサラリーマンであっても、子どもをちゃんとした学校に入れ、郊外に一戸建てを買う甲斐性のある夫を持つことができました。でもいまは違う。給料は上がらないし、夫が名の知れた企業に勤めていたって、必ずしも安泰なサラリーマン生活をずっと送れるとは限らない。

男性だって、とても不安定な時代に生きている。いまの時代こそ、不安だからと現実逃避に走るのではなく、女性も自立して生きて行くことについて、一層しっかりと考えるべきだと私は強く思います。

子育てと仕事の両立

ショック療法じゃないですけれど、専業主婦はラクそうでいいなぁと呑気に思っている人には、どうしてもお灸《きゅう》を据《す》えたくなってしまいます。特別に恵まれたお金持ちの専業主婦と節約主婦という両極端な例を挙げてきました。

実際には、二例の中間くらいの年収の専業主婦家庭が大半なのではないでしょうか。とりわけ私の本を読んでくださっている三十代、四十代の専業主婦の方々には、出産を機に仕事を辞められた方が多いのではないかと思います。あるいは、夫の転勤のため仕方なく、という方々もいらっしゃるかもしれませんね。

ただ、私はやはり、どうしたって女性は仕事を持って、働くべきだと思っているんです。専業主婦のリスクということではなく、人生の充実感や幸福のために。自分の仕事が積み重なって、ある日、何かの結果が出るという楽しさは、恋とか愛ともまた違う、もっと人間的な深いところに根ざしている。それに、働いていると良いことは、自分の名前で勝負できること。自分の力なら、たとえ低い評価でも自分の努力不足だと納得できるけれど、夫の地位や肩書で評価される人生は辛い。

子育てが一段落してから始めたパートだって、どんな仕事だっていい。家計の足しのためにでも何でも、自分で稼いでいるということは大事だと思います。

子どもが小さい頃は、「ママはおうちにいてほしい」と泣かれるかもしれない。でも、いつか必ず、お母さんは働くのが好きなんだ、そのおかげで自分は物質的にも精神的にも利益を得ているんだ、とわかる時がやってきます。

どうして女性にばかり子育ての負担が掛かってくるのかについて考えると、もちろん母性神話もあるでしょうし、前述の通り、相変わらず夫に子育てで同じ負担を求めるのは無理だという現実、保育環境が依然としてお粗末な社会のせいでもある。そして、育児休暇などが充実していない時代遅れの企業もまだまだ存在しています。

しかし、もし幸運にも、子育てを大なり小なりサポートしてもらえる環境にいる女性には、私は「本当に大変だと思うけど、意地でも頑張って働き続けて！」と声を掛け、肩をバンバン叩きたいのです。実家のお母さんの力を借りるとか、ベビーシッターを雇うとか(知り合いには自分の給料がまるまるシッター代に消えてしまっている人もいますが)、それでもやはり、仕事にはしがみついていたほうがいい。

二十代後半から三十代前半ぐらいの女性って、責任のある仕事も任され始めてきたのに、同期の男性との扱いの差を感じ始めたり、なおかつ仕事にもちょっと飽きてきたり疲れてきた時期ということもあるでしょう。子育てを理由に会社を辞めて、子どもが大きくなったら社会復帰しよう、と自分に都合良く考えてしまいがちです。しかし、退職前と同じレベルでやりがいのある仕事に再び就くことはたいへん難しいという現実から目を逸《そ》らしてはいけないと思うのです。

また最近は、不況が続いたせいで、頼みの夫の給料はなかなか上がらない。子育ては一段落したけれど、これからもっと教育費がかかる。主婦として派遣社員になることを希望する四十代の女性も増えているそうですね。

でも、有名大学を出た若い人たちでさえ派遣社員にならざるをえない世の中で、そう簡単に社会復帰できるとは思えないのも事実。ましてや、働き続けてきた派遣社員や契約社員の人は〝人に必要とされる訓練〟を重ねてきた人たちです。家庭だけに意識を集中させてきた人間が、職場で必要とされる人間になれるかどうか。さらには、十何年のブランクを自覚するあまり、社会復帰に怖《お》じ気《け》づいてしまう人だっているでしょう。

社会が悪いと言ってしまうのは簡単ですが、ようやく少子化に危機感を持ってきた日本でも、子どもを持った母親がストレスなく働けたり、あるいは子育てが一段落した後に誰でも再就職できる世の中になるには、最低でもあと二十年はかかりそうな気配です。子どもの成長のほうがよっぽど早い。大変だけれど、踏ん張り時に逃げ出してしまっては、後で取り返しのつかないことになってしまうのです。

自己顕示欲の量

もちろん、世の中には、家事一般を見事にこなす、尊敬すべき専業主婦もいっぱいいます。子どもの教育にもちゃんと気を配り、料理も上手。お洒落なインテリアの家の中をいつもピカピカに綺麗にしている。部屋の片付けがどうしようもなく苦手な私には、一生持ち得ない能力です。

こうした家事能力以外のことで、専業主婦に向いている人、家族の世話だけやっていて幸福に生きられる人に必要な素質とは何でしょうか。

それは、野心の親戚でもある「自己顕示欲」の量が少ないことではないかと思います。人にはそれぞれ生まれ持った自己顕示欲の量があります。その数値が生まれつき20の人もいれば、80の人もいる。20以下の人であれば、専業主婦として家の中のことをきちんとやって、身近な人にだけ褒めてもらえれば満足できるし、穏やかで幸福な日々を送ることができるでしょう。

ちなみに（わざわざ説明する必要もないかと思いますが）私は自己顕示欲の量が格別に多くて、たぶん130くらいはありますから、専業主婦は絶対に無理。家事をやっても誰も褒めてくれませんし、お金を払って人に頼んでやってもらっています。

20の人が専業主婦をやれているぶんには何の問題もありません。ただし、自分の自己顕示欲の量を読み間違えると、悲しい結末が待っていると思います。

たとえば、もともと自己顕示欲の量が80ある人が、三十歳前後で走り続けることに疲れ、仕事を辞めて専業主婦になる。「実は私の天職って、主婦だったのよ」と思い込もうとしたり、子どもの教育に異常なほど打ち込んだり、何とか自分をだましだまし生きているとします。しかし、80あった自己顕示欲を無理矢理20に押し込めてきた反動は必ず生じてくる。中年になって、子どもの手が離れた時に爆発してしまうのです。

そうして四十路《よそじ》も後半に入った頃にあわてて仕事を見つけようとしても、十何年も家庭だけに集中していた人からは、知らず知らずのうちに社会性も奪われていたりする。いざ再就職しようと思っても、面接の時に自分に都合の良い条件ばかり提示したり、自分と社会とのギャップに気づくことさえできなくなっているから恐ろしいですね。

こういうことを言うと、当然ながら専業主婦の方々から反感を買います。「ハヤシさんは特別な職業に就いていて、お金もあるから、そりゃあ上から好きなことが言えますよね」とか、「普通の女が子どもを育てながら働く大変さは、あなたにはわからないでしょう」と抗議されたりします（この本は「野心」がテーマなのでお許しくださいね）。そう。何度も繰り返しますが、子どもを持った女性が働き続けることはとても大変です。しかし、仕事を続けていれば、「生活力」という体力がつくから、たいていのことには堪えられるようにもなってくる。

人間が成長するのは、なんといっても仕事だと思うんです。仕事とは、イヤなことも我慢して、他人と折り合いをつけながら自己主張していくことでもある。ずっとその試練に立ち向かい続けている人は、人間としての強さも確実に身につけていきます。

家庭生活や子育てで人間が成長するということ自体は否定しません。しかし、それは仕事での成長の比ではない。子どもを生んだ人が「子育てで人間的に成長しました」と言うのは単なる自画自賛だと思いますし、私は信用していません。仕事でイヤなことにも堪えていく胆力を鍛えていれば、子どもが泣いたくらいでうろたえない人間力は自然に身についているのです。

世の中は理不尽なことで溢れていて、自分の思い通りになることなどほとんどありません。だけど人間は努力をしなければならない。それを社会で働くことで学んでいる。仕事から逃げ出して主婦になった人が、子育てで成長しようなんて目論《もくろ》んでいるとしたら、あまりにも自分に甘いんじゃないかしらと思います。

働いているから確認できる愛情

女性も働き続けたほうがいい理由は、精神論に拠《よ》るだけではありません。少なくとも私にとっては、人が稼いできたお金に頼って生きていく人生は考えにくい——自分の欲しい物を、自分の稼いだお金で買えるということは、当たり前に必要なことなんです。

もちろん、それは万人の感覚ではないでしょう。「自分が家庭をしっかり守っているから、夫は何の心配もせずに仕事ができる。だから私は養われて当然なのだ」と考える人がたくさんいるのも知っていますし、それを否定する気は毛頭ありません。でも、自分の食《く》い扶持《ぶち》は自分で稼ぎ、もしも、夫といるのがイヤになったらすぐに離婚できる経済状況の中で結婚生活を続けているからこそ確認できる、夫婦の愛情ってあると思うんです。

実際に、仕事ができる女性はたとえ既婚者でもモテます。頑張っている姿を見ていてくれる人がいるし、当然、出会いも多い。また、仕事に精進している女性を好きな男性ほど素敵な人が多いんですよね。

魅力ある男性に囲まれていても、なおも夫を愛し続けていけることこそ、最上の愛情確認ではありませんか。なんといっても、夫と他人を比べることのできる人生のほうが女性として楽しいと思うんです。

とはいえ、世の中に、面白くて華やかな仕事なんてほんのわずかしか存在していません。地道で、つまらない仕事がほとんどです。派遣社員としてずっと働いているということもあるでしょう。

しかし、どんな仕事であれ立場であれ、何よりもの充足感を得られるのは、「自分の代わりがいない」という確信を、社会の中で得られる時ではないでしょうか。自分が複数の他人から必要とされている場所が家庭の他にもあること。そこから得られる自信は、他の何物にも代え難いものです。

さらに言えば、フリーで働いていける能力がある人——具体的に言えば、お金を稼ぐことのできる〝手に職〟を持っている人は、やはり強い。出産と育児という女性が仕事を続けていく上での難関も乗り越えやすいという点で、企業に頼って働かなくてはならない人よりも優位に立てるでしょう。

ですからやはり、早いうちから〝何者〟かになろうという野心を持ち、努力を重ねているに越したことはないわけです。若い頃を、流されるがままに坦々と生きてきた人が急に目覚めて、中年になってから急にお金を稼ぐような仕事を得られる可能性は、ゼロとは言わないけれどかなり低い。

二十代で頑張った結果は三十代の人生に反映されるし、三十代に努力したことは四十代の充実感にそのまま比例します。四十代になってから、他人を羨ましがるばかりで「どうせ私なんかパートやるしかないじゃん……」と怒るのは間違っているんです。

私の担当編集者で四十代の独身女性（東大卒）が、

「仕事は楽しくて仕方がないけれど、長い目で人生を考えるといちばん羨ましい女性の生き方は、医者や弁護士になって同業の男をつかまえた同級生の子たちです。高収入の共稼ぎ夫婦だからお金も貯まるし、豪邸を建てたりしている。それになんといっても確固たる資格を持っているから、自分の裁量で、妻は出産後に仕事を数年間休んだりっていうことができるんですよ。定年もなく働けるし……キーーーッ！」

と悔しがっていました（まずは独身から解消しなさいよ……と、私も彼女の結婚のためにいろいろと手を尽くしているのですが）。

たしかに、〝手に職〟、それもとりわけ〝高等な職〟を持っている人たちは、いちばん幸せを見つけやすいのではないかと思います。もしも、十代でこの本を読んでくださっている方がいたら、十代の勉強は二十代の人生に、二十代の勉強は三十代の人生に生きてくることを心に刻んで精進してくださいね。

オス度の高い男性ほど美しいメスを選ぶ

さて、深刻な話ばかりが続くと、やりきれなくなってしまいますから、このへんで少し話題を変えましょう。

「それでも私は何としてでもお金持ちと結婚したい！」という人はどうすればよいか。果たして、いまの時代に玉の輿を狙える人はどんな女性でしょうか。

やっぱり美人は強いと思います。誰だってまずは外観からしか入れないんですから。

いかにも高価でお洒落な服を着た、目の覚めるような美人のお母さんが、なぜか似ても似つかない子どもの手を引いているのを見たことはありませんか。資本主義のリアリティを目の当たりにする瞬間ですね。

私の知り合いで、目がぱっちりした美人代表のような綺麗なお母さんがいるのですが、お金持ちのブサメンと結婚してできた子どもが風邪を引いて病院に連れて行ったら、お医者さんから「大丈夫よー、大人になったら顔は変わるからねー」と言われたんですって。

風邪よりも顔を心配されてしまったという実話です。

……ちょっと意地悪が過ぎたかもしれませんが、とにもかくにも美人の妻を持つということは、男性にとって、彼らの承認欲求を大なり小なり叶える手段になるのは間違いありません。

特に、オスの度合いが高い男性——たとえば野球選手とか起業家の人たち——ほど、きれいなメスを選ぶよう、DNAに刷り込まれているような気がします。そこにはあまり複雑で屈折した思考はなくて、単に、オス度の高い生物としての本能的な選択なのだと思います。

なにはともあれ、女性の美しさが玉の輿に乗るための一つの武器となるのは、どなたにも異論はないでしょう。

現代は、昔だったら絶対に美人とは認識されなかったような人も、美人の範疇《はんちゅう》に入れてもらえる時代になりました。スタイルが良くて、お化粧が上手くて、お洒落だったら美人と言ってもらえる世の中です。ここで、自分を磨く努力をしない手はない。

さらに言えば、「あの人、綺麗な子だね」と女優さんやタレントさんを褒めると、一緒にいる人が即座に「元の顔はこれですよ」とネットの画像を見せてくれて唖然とすることがしばしばあります。

某美人タレントさんの整形前画像にはとりわけ衝撃を受けて、マガジンハウスの担当者の鉄尾さんに「私も二十代で美人に整形しておけばよかったー」とぼやいたことがありました。返ってきたのは「あんたの若い頃に、その時代の技術で整形していたら、いまごろ顔グチャグチャだよ」という一刀両断のリアクション……酷すぎる。

歯列矯正など長年の努力が実を結び、「ハヤシさんは年を取るほど綺麗になる。女性の美しさも尻上がりのほうがいいですよね」と言ってくださるかたもいて、それはもう嬉しい言葉です。でも、やっぱり女性の美しさは、二十代で前途有望な男の人をつかまえ人生の伴侶とする戦いの勝者になるために使うのが理想でしょう。だからこそ、生物学的にも二十代がいちばん綺麗になるようにできているんですから。

自己完結の「美魔女」、美人の有効利用「女子アナ」

しかし一方で、世の中にはせっかく整形の必要も無い美人に生まれついたのに、有効利用しないままで人生を送ってしまうケースもけっこう多いんですよね。

〝美人の持ち腐れ〟です。

高校時代のクラスでいちばんの美人だった子が、市役所の人と結婚してごくごく平凡な人生を送っていたり、もったいない美人の例が後を絶ちません。私なら、どれだけ美貌を有効に使ってあげられたか……と歯嚙みしてしまいました。

美魔女だって、私から見れば、あんなに綺麗だったら当然、次は男を作るでしょ、と思うのに、不倫している気配が皆無なのが不思議。美しさと若さを保つことにエネルギーを使い果たし、自己完結できるからなのでしょうか。私の小説の中でも特に売れた『不機嫌な果実』（一九九六年）時代の美人妻とはずいぶん違うなぁという印象です。

そのまた昔は、森瑶子さんの『情事』（一九七八年）を読んで、女性はみんな「女だってセックスしたいよねー」って共感したのに、いまや淡白な女性が主流になってきた。性的な話を持ち出すと「まぁ淫乱！　そんなにしたいんですか！」と呆れられそうな時代です。男性だけでなく女性の性欲も地盤沈下を起こしているようにも思えます。

さて、もったいない美人がいる一方で、美人であることを十分に自覚して、それを最大限に有効利用している人たちが女子アナではないでしょうか。

いまや女子アナは、日本で女性がちやほやされる職業ナンバーワンです。「子どもたちに読み聞かせをしたいから入社しました」なんていう志望理由も実のところはどうなんでしょうね。「私は美人で目立ちたがり屋なので、女子アナになりたいと思いました！」と言って、入社することはやっぱり難しいのでしょうか。

ちやほやされるといえば、昔ほどではないとも言われますが、CAだっていまだに人気職業です。しかし実情は、傍目《はため》に思うほど羨ましい仕事ではまったくありません。プライベートではビジネスクラス以上の男性にかしずかれているCAの女性たちが、エコノミークラスの乗客の無理難題に四苦八苦するストレスは計り知れません。なおかつJALの経営破綻もあったのに、相変わらず志望者が後を絶たないのは、まだまだCAという看板で得することを皆が知っているからでしょう。

女子アナやCAが玉の輿に乗ったり、稼ぎの良い旦那さんを得るチャンスが他の職業よりも多いのは確かです。女子アナは言わずもがなですが、CAだって商社マンや医師との合コンなどでは相変わらず引っ張りだこ。前にも触れましたが、一流航空会社からのお墨付きを得た女性には、最初から男性も安心しますし、何よりも「結婚後も笑顔でサービスしてくれそう」と思ってしまう人がいるらしい。

女子アナは「三十歳の壁」とか言われることもありますが、そこそこの知名度で年を重ねて退社した女子アナだって、新聞や雑誌のタイアップ広告のインタビューページに出たり、シンポジウムで司会をやったり、何らかの需要があるんですよね。CAだって辞めた後も、マナー教室を始めたり、他の企業でCAの経験を活かした職に就いたり、優秀な人は起業したりする。もちろん、恵まれた幸せな専業主婦になっている人もたくさんいますし。現在もやはり、この二つの仕事が、女性性を活かした職業としては双璧ではないかと思います。

コスプレに見える女性政治家

さて、海外に行くと、どうして日本には女性議員と女性経営者の数が少ないのかと尋ねられることがしばしばあります。

この二つの職業の女性たちは燃えるような野心を持っているとは思いますが、まったく私とは異なるメンタリティ。あの種の野心を私は持ち合わせていないので、自分の理解を超えた部分もあります。

まず、女性政治家についてですが、そもそも「日本を良くしよう」「世の中を変えてやる」という気持ちが、人の上にあるべきものか下にあるべきものかは意見が分かれるところ。しかし、ボランティアをやるのではなく、法律を変えてやるということになってくると、政治家というのはどうしたって上から目線になってくると思うんです。だんだん「バカな人民を自分が指導していく」という気持ちになってくるのではないか。

選挙民だから地元の人を大切にはしているけれど、政治のこともあんまりよくわかっていないおじいちゃんやおばあちゃんが握手を求めてやって来るわけでしょう。そこで、「ばあちゃん、その後どうよ、リウマチは?」なんて話しかけたりしているうちに、「この愚衆たちを自分が導いてやらなければ!」っていうスタンスにいつのまにか立ってしまうのではないかなぁと思います。

国会議員になると、とたんにいろんな特別扱いをされて、新幹線のグリーン車も無料ですし、飛行機を乗り降りするときも他の乗客とは異なるＶＩＰルートを使ったり、料理店でも「先生、先生」って言われることになる。加速度をつけて、どんどん〝あっち側の世界〟の人になっていくのは仕方のないことかもしれません。

というのも、芸能人やスポーツ選手の女性が政治家に転向したあとの変わり身の早さを見て覚える違和感を、私はなかなか払拭《ふっしょく》することができないのです。それは、いかにも女性政治家といったファッションや、人には舐められまい、しかし親しみは持たれなくてはいけないといった〝女性議員スマイル〟にしてもそうです。

三原じゅん子さんなんて、どうしたって政治家のコスプレをしているようにしか私には見えません。現職の松あきらさんや山東昭子さん、過去には扇千景《おおぎちかげ》さんもいましたが、元女優さんって、おそらく彼女たちが考えている女性政治家のスタイルや喋り方があって、すぐにそれを実践できてしまうからなのか、本当にあっという間に政治家然とした人になっていきますよね。

だから、なおさら女性政治家ってよくわからない。でも、たいした理由もなく政治家の人を嫌ったり、バカにしたりすることはしたくないと思います。やはりなんといっても私たちから選ばれた人には違いない。すべて自分たちに跳ね返ってくるからです。

女性経営者の野心のバネは「悔しさ」

私には何人かの女性経営者の友人がいますが、彼女たちのパワフルさ、強烈な個性といったら、かつてあれこれ書かれた私でさえも舌を巻くほどです。

まず、男性社会との関わり合いかたが違うと思います。女性が財界を渡り歩いていくためにはやっぱり権力と仲良くならないといけない。財界のおじさまたちが揃うパーティーに、派手めな洋服でやって来て可愛がられる素質が必要なんですね。権力を持つオヤジたちに可愛がられる才能って、これは男も女も関係ないでしょうが、経営者には必要な能力だと思います。成功していく経営者たちって、みんなちょっと「やんちゃ」でジジ殺し。相手がどんな大物であっても、「人を転がす」才能が抜群に秀でているのです。

人間関係がすごく大変だろうなぁと私などは感心するしかないのですが、たぶん彼女たちにとっては、まったく苦ではないのでしょう。だから、かつての私のように「よくあそこまでできるわねー」と悪く言われたりする女性経営者もいますが、もともとメンタルが屈強な彼女たちは、そんな負け惜しみの声を気にするヤワな人たちではありません。

ビジネスの世界で成功する女性たちは、どうして並外れて強い野心を持ち続けていくことができるのでしょうか。

いろいろな話を聞いていると、成功した女性実業家たちには「男性と同じように、自分にチャンスを与えてくれたら、もっと私はすごいことができるのに」という悔しい思いを抱えてきた人が多いようです。

たとえば、「ザ・アール」代表取締役社長の奥谷禮子《おくたにれいこ》さんは、ＪＡＬのＣＡをやっていた時代に、国際線の飛行機が復路では客を乗せずカラの状態で日本に帰されるのを見て、「もったいないと思いませんか。安いツアーを組んで、復路の有効活用をしないと！」

と進言したところ、「そんなの前例がないよ」「うまくいくはずがない」って男の人たちに阻止されたのだそうです。だから、奥谷さんには「一機だけでいいから私に任せてくれたら、必ず儲けさせてやるのに」という気持ちがどんどん溜まっていった。真っ当な意見が採用されず、鬱積《うっせき》された悔しい思いが、女性の実業家たちの野心に変わっていったというのは腑に落ちる話です。

これは男性にも女性にも言えることかと思いますが、悔しい気持ちや屈辱感を心の中で一定期間「飼っておく」というよりも「飼わずにはいられない」状況下で、その悔しさを溜めて醱酵させるだけではなく、温めて孵化《ふか》させた人たちが、野心を実現できるのではないでしょうか。

でもやはり、三十年以上前に「カラで飛ばす飛行機は安いツアーに使おう」という発想を持ったこと自体が、私にとっては感嘆するほかありません。お金を儲けること——ビジネスって、頭をロジカルに使わなければならない。自分はそうした思考回路をまったく持ち合わせていませんし、感性の部分で仕事をしている物書きのような職業に就いていると、ときには相容《あいい》れないところも正直言ってあります。本を売るということもビジネスですから、もっとそういうことにも心を配らないといけないとは思っているんですけど。

しかし、彼女たちは、かつて日本全国から「野心家」と言われた私が恐れおののくほどの野心を持っている。日本にはもっともっと女性実業家たちが出てくるべきです。野心を持ったパワフルな女性たち、驚くような女性実業家が出現することを心から願っています。

ユーミンと聖子の野心を考える

私は大石静さんや中園ミホさん、内館牧子さんと仲良しなのですが、脚本家ってチームを組んでドラマや映画を作らないといけないから、世間を渡っていく常識もきちんと弁えているし、愛されるタイプの女性が多い。だから男性にもモテる。羨ましいかぎりです。

でも、どんなに性格が良い脚本家の女性たちでも、確固たる野心を持っていないと、ずっと第一線で仕事をしていくことはできません。本当に自分がやりたいドラマの脚本を書くためには、実力のあるプロデューサーとの信頼関係を築かなければならないし、他にもいろいろなチームワークが必要です。一人で小説を書く私なんかより、よっぽど気苦労が多いかと思います。そうした対人関係での気遣いを重ねているから、彼女たちが生み出す一言一言の台詞《せりふ》の機微や深みが生まれてくるのでしょう。

転じて、漫画家の人たちって総じて野心が低いなぁというのが私の印象です。オタク度が高くて、野心度が低い。手近な編集者と結婚したり、漫画が売れて不意に何億円というお金が入ってきても「あー、使い道どうしようー」みたいな感じで、ドサッと和服を買ったり、家を建てたりする。その家もアーリーアメリカン調の風変りな家だったり……。野心というよりも「天然」という言葉が思い浮かぶ可愛い人たちが多いんです。なぜだろうかと考えたこともあるんですけど、やはり絵を描ける「才能」が先に立つからではないでしょうか。

「アーティスト」の域に入っている人に、野心は不要なのかもしれませんね。

たとえば、ユーミン。松任谷由実さんは、野心や運とは関係のない世界に生まれた人だと思います。神様に選ばれた、何かを創るために生を受けた人たちが、この世の中には僅《わず》かに、しかし確かに存在している。誰の目にも耳にも明らかにわかる才能を少女の頃から持っていたユーミンは、野心など持たなくても、世に出るべくして出てきたのです。

松田聖子さんにしても、野心という言葉では括《くく》れない女性だと思います。彼女の場合は、まるごと生命体としての強さというか、野心なんてまったく必要なく身体が勝手に行動している感じ。顔だってどんどん進化していますよね。

生命体としての強さといえば、女流作家の重鎮の方々、たとえば瀬戸内寂聴先生なんて、うっかり触れるとヤケドをするような熱さを持っておられます。しかし、人間の心情を描きながら、一人でも多くの方々に読んでほしい、長く書き続けたいと思うのがプロの作家。生命体としても尋常ならざる強さをお持ちの寂聴先生だって、確固たる野心を持って書き続けてこられたからこそ、ずっと第一線で活躍され続けているのではないでしょうか。

女性の書き手つながりで、話を平安時代に飛ばして紫式部と清少納言を比べると、私は断然、紫式部のほうが上物《じょうもの》の野心の持ち主だと思うのです。清少納言はエッセイストですから、わかりやすく悔しがったり、明るくてかわいいとは思うんですけれど、やっぱり彼女の野心は見え見えで、底が浅い。

エッセイには、何かあるとすぐにパッと反応して、花火を上げて、花を開かせる反射神経が重要です。しかし、作家の場合は、開花時期を見計らいながらずっと土壌に入れたまま、人には見せずに隠しておく、ねっとりとした暗さが常につきまとう。野心を持つ女性の孤独を体現しているのが紫式部なのではないかと思います。

ですから、紫式部よりも清少納言のほうがどうしたって同性には好かれるでしょうね。

『六条御息所　源氏がたり』（全三巻・二〇一〇〜二〇一二年）という本を出している私ですら、紫式部とお友達になれるのかというと、少し不安……。

さて、女性の職業として考えると、作家はすごく恵まれていると思います。なぜかというと、まず、家で仕事ができるということ。そして、結婚生活や子育てもすべて膨らませて、いつか物語に活かしたり、仕事の糧にすることができる。「子育て日記」みたいなことをストレートに書くのは私の価値観にはまったく合わないんですけど。

かつて、夫と原宿の「重よし」で食事をしていたら、偶然、渡辺淳一先生がお店にいらして、「女流作家たるもの、夫と外食するとは！」と叱られたことがありました。

村山由佳さんは「女流作家の夫はろくでなしじゃないと駄目」とおっしゃっていました。名言だと思います。女流作家が、健全な家庭生活を営んで、子育ての合間に書くなんていうことは本来なら無理なはずなんですけど、そこは妄想力で乗り切っているのが現状です。

「お子さんができてからも、恋愛小説を書く時にどうやって生々しく気分を高めていくことができるんですか」という質問をたびたびされますが、私はたとえ男女の濡れ場であっても、娘と食事をするダイニングテーブルで書いています。これはもう、妄想力の為《な》せる業《わざ》としか説明しようがありません。

この素晴らしき「妄想力」については、次章であらためて触れたいと思います。

働く女性がウサギからトラへと変わる時

さて、特殊な職業ばかり続けて述べてきましたが、たとえば一般企業で働いている女性たちがいかに野心を持つべきなのかということを考えると、自分が責任を持つ部署と部下を任されるということ、もしくは、自分のやりたい仕事を最短距離で実現できる場所にいることを目指すべきではないかと思います。

自分自身が努力をしなければならないのはもちろんですが、女性が働いていく上で、正当に評価をされるということは相変わらず難しいのかもしれません。

かつて、NHKで初の女性局長となった小林由紀子さんから伺った、印象深いお話があります。

——女性が会社に入ってから数年は、やはり「ウサギ」として可愛がられなきゃいけない。最初から「トラ」をやってると、「なんだ、あいつ。生意気」って嫌われるだけですから。まずは、ウサギちゃんとして仕事を教えてもらったり、人間関係を築いたりする。

しかし、いつまでもウサギをやっていると、一生「使われる」立場で終わってしまうから、いつかトラにならなければならない。

働く女性であれば、誰しも思い当たる、非常に明快で具体的な喩《たと》えだと思いませんか。やっぱりトップに立つ女性の言うことは違うなぁ、なるほどなぁと感心したことをよく覚えています。ポジティブな意味でトラに変わっていくのが、働く女性たちの『山月記』なんですね。

しかし、女性がウサギから急にトラに変わろうとすると、驚いた男性たちからモロに反撃されますから、トラに変身するタイミングは十分に考えなければならないでしょう。半分はウサギのままで、半分トラになりかけ、みたいな期間でワンクッション置いたほうがいいかもしれない。男の人って、自分の背丈より大きくなろうとする女性は必ず痛めつけようとする。その嫉妬の凄さといったら、ハンパじゃありません。私もコピーライター時代、トラになったとたんに叩かれましたから。

トラへと姿を変えるのは三十歳ぐらいが良いのかなぁと思いますが、あんまり長年ウサギをやっているとウサギ癖がついてしまい、もはやトラになりたくても変身できなくなってしまうから要注意。ウサギ期間は、プライベートでMっ気のある男をつかまえるなどして、秘かにトラの練習を重ねておくのもいいかもしれません。

ただ、一流、二流、三流、が如実に結果となって表れてしまう、私たち作家のような仕事とは違って、普通のサラリーマンであれば、野心を持つことよりも、まずは与えられた仕事を一生懸命にやるのが大切だということも事実。トラとなって出世を狙いつつも、会社員であれば、やはり会社にどれだけ貢献できるかということが最大の使命であることを忘れてはいけないと思います。

やがて哀しきマスコミ独身女性

私が仕事でいちばん関わりの深い会社員といえば、出版社を始め、新聞社、テレビ局などで働くマスコミの女性たちです。頭が良い人も悪い人もいますし、能力は人それぞれですけれど、押し並べてお給料はいいし、仕事も楽しい。高倍率の難関を勝ち抜いてきた彼女たちは、やはりたいへん恵まれた環境で働いていると思います。

マスコミにいると、有名人や面白い人に会えるチャンスもいっぱいあるし、制作物を通じて自己実現感を味わうこともできる。楽しくて楽しくて、仕事が麻薬のようになってしまう人が多いんです。雑誌の創刊なんかをやると、無我夢中でやっているうちにすぐ三年くらい経ってしまっているそう。だから、マスコミの女性って、年を取るのがあっという間。「この麻薬さえあれば、もう何にも要らないわー」と突っ走り続けているうちに、ふと気がつくと五十代になっていて自分でもビックリ、ということも多いようです。

そうして、私よりちょっと上の年齢で、ついに結婚しないまま定年退職を迎えた女性っていっぱいいるんですけど、老後がなんとなく寂しそう……結婚して、家族がいる人はそうでもないんですけど。楽しくて仕方がない世界から、一気に火が消えてしまうような感じがします。

定年間近の知り合いの編集者に「定年後は何するの?」って訊いたら「何も考えてない」と言っていましたし、テレビで昔は大活躍した女性プロデューサーとパーティーで会ったら、「いまはすることもなくて」と寂しそうでした。どこかの大学に講師として潜り込んだり、財団なんかに入れればまた違うのでしょうが。

だから、いい年になっても独身のままの女性編集者なんかには、私はいつも口を酸《す》っぱくして「結婚しなさい」と言っています。「結婚はしたいんですけど、ここ数年は仕事が山場でちょっと……」なんて返されると「そんなんじゃ駄目! 仕事同様、結婚相手も必死で探しなさい!」と鬼のようにせっついてしまいます。時にはお見合いのセッティングをすることだってあるんですよ。

私が自分は偉かったよなぁと自画自賛してしまうのは、独身の頃は世間から「結婚したいとか言ってるけど、どうせ結婚しないんでしょ」と思われていた中で、実際に結婚したことです。私よりずっと美人で結婚できなかった人がいっぱいいるのに。

なぜ、自分が結婚できたのかというと〝気迫〟の一言に尽きます。結婚までは行ったり来たり、もう涙なくしては語れないほど悲しい歴史でした。付き合い始めるとすぐに結婚を持ちかけるから、ドン引きされちゃって嫌われる。いま振り返って、あの時、結婚を迫るのがあと半年でも遅かったらどうなっていただろうと、つい独りごちてしまうような男性もいます。……嗚呼《ああ》、人生って不思議なものですね。

結婚の良さは「チーム」を組めること

私が結婚したのは一九九〇年、三十六歳の時でした。

かつて結婚の見通しもまったく立っていなかった頃、秋元康さんに、どういう人と結婚すれば世間が喜んでくれるかしら、と訊いたことがありました。秋元さんは「山梨で葡萄園を経営している高校の同級生で、『マリちゃんは遠くに行っちゃったけど、君のことを

カトリック神田教会で挙式。披露宴はトゥール・ダルジャン。ドレスは森英恵デザイン

いちばん思っているのは僕だよ』みたいな人と結婚すればいちばんみんなにウケる」って。

一方で、ミーハーな私は、結婚会見の時にみんなが「エーーッ」と腰を抜かすような有名人と結婚したいと考えていたんですが、結局、普通のサラリーマンが夫になりました。

しかし、私の相手が普通のサラリーマンだったことが逆に皆の度肝《どぎも》を抜いたようです。

それにしても、婚約当初から「結婚願望で売っていた女だから、もう書けなくなるだろう」とか、週刊誌で意地悪な記事をいっぱい書かれたものです。

いまでは考えられないでしょうけど、『ルンルン』でデビューした時代には、あからさまに「結婚したい」と書いたり言ったりすると、「一生懸命、女の人たちが積み上げてきたものを平気で片足で蹴飛《けと》ばして」って、フェミニズムの人から叩かれたりしたんです。

私は当時から、一流の仕事もしたかったし、結婚もしたい、そして子どももと、全部欲しいと思っていました。誰も言わないから、特に「結婚したい」と声を大にして言っただけだったんですけど。

前にも触れましたが、私が少女の頃、両親は喧嘩ばかりしていました。正確に言うと、父親の非を、母親が実に論理的に解説していたという感じ。それは、子どもだった私が聞いていても明快で、心の中でいつも母親に拍手を送っていたものです。

しかし、私が大人になってから、老いた母が父を許し、驚いたことには「いまは、お父さんさえいてくれればいい」と、ぬけぬけと言うまでになった。子ども時代の私にとっては、父は父、母は母でしたが、いつの間にか、父と母というワンセットになっていました。父は二〇〇八年に亡くなりましたが、老後の両親の姿を見ても、「ひとりで生きて行く!」とよっぽど強く心に決めている人でなければ、やっぱり結婚はしたほうが人生は幸せなんじゃないかなぁと思います。

結婚すると何が良いかと言うと、もちろん安らぎはあるし、自分を守ってくれる。そして何よりも、お互いの全人格を引き受けて責任を持つ「チーム」を一緒に組む相手ができるということ。たいして面白くもないことを言い合う、日常会話をできる相手がいるのは幸福なことです。

それに、男の人ならではの物の見方や思考が、自分の不足を補ってくれるということもある。女性はどうしても情緒的に物事を考えてしまいがちですが、自分が何かを悩んでいたりする時に、ポロッと正解を出してくれるのが男性のごくごく常識的で社会的な考え方だったりします。

たとえば、かつての私は、講演先に行っても早く一人になりたくて仕方がない人間だったんです。控え室で知らない人と延々と話しているのが、ストレスだった時代がありました。でも当時、夫がスパッと言ってくれた「講演というのは、芸者さんと同じで、行っている間の時間はすべて相手のものなんだ」という一言で、ああ、そうか、と目が覚めたことがあります。以来、百八十度、意識が変わりました。

最近は、不況のせいもあって、稼ぎの良い年上の男性と、二十も年下の女性が結婚する「年の差婚」が、芸能人だけでなく世間一般でも流行っているようですね。ラブラブの年の差婚も良いものだろうなぁと、彼らの新婚生活を妄想してしまったりするわけですが、下《しも》の世話をも厭《いと》わないほどの夫婦の情愛は、やっぱり歴史があってこそではないかとも思います。結婚十年に満たない夫婦で、相手が寝たきりになったとき、下の世話から逃げ出さない覚悟が生まれるのでしょうか。まぁ、だから、年の差婚は年上の夫がお金持ちというケースがほとんどなんでしょうけれど。

ところで、日本の男性は、女性が若ければ若いほど尊ぶのはなぜだと思いますか。伊勢神宮は二十年に一度の「式年遷宮」で社殿を建て替えますが、私は、そこに日本人の精神世界が凝縮されていると考えています。二十年経ったら、すべて取り替える。あのしきたりが残っている以上、白木の清々《すがすが》しさを最上としたり、「女房と畳は新しいほうが良い」というメンタリティは変わらないでしょう。我が国の男性たちは、古くて良い建物ほど大切にされる西洋とは真逆の価値観を持っているのです。

女は若ければ若いほど……なんて平気でのたまう〝伊勢神宮男〟はこちらから無視してやりましょう。若い女を愛するなんていうことは誰にだってできる。良い男ほど、若い女を好きだというのは恥ずかしいという感覚を持っています。年齢で差別されるようなことがあれば、本当に価値のある男性を見分けるためのフィルター経験だと思えばいい。

不倫については、作家の立場からは否定できるはずはありません。でも、未婚女性の不倫に関して言えば、やっぱり、奥さんは強い。夫婦の間で肉体関係がないからといったって、妻の立場というのは絶対的です。それに、日本の社会、特に財界では、奥さんを捨てて若い人と結婚する人は排除される風潮が依然としてある。糟糠《そうこう》の妻を捨てた人は軽蔑される社会なので、賢い男性ほど絶対に離婚はしません。楽しく愛人関係を続けているうちはいいですが、あわよくば略奪婚などと思って不倫を続けている人がいるとすれば、考え直したほうがいいのではないかとも思います。

一方で、少しでもご縁のある独身の相手がいるのなら、早く一緒に住んでしまったほうがいい。私が若かった頃と違って、わざわざ正式に結婚しなくても、事実婚や同棲だってまったく問題ない時代ですから。それに、バリバリ働いている女性が結婚したって、相手の親戚付き合いまではとても面倒見切れないっていうこともあるでしょう。

かつて、「昼の魅力と夜の魅力を兼ね備えた男性、その二つを兼ね備えた人はそうそういないから、女はどちらかを選ぶことになる」と書いたことがあるのですが、もはや、昼の魅力は後回しにしてもいいのかも、という気さえしています。周りの未婚女性を「セックスしてもいいと思える相手だったら、とりあえず一緒に住んじゃったら!?」と焚《た》き付けてさえいる今日この頃です。

子どもで再確認した仕事の大切さ

先ほども触れましたが、私と同年代の独身女性編集者たちがいま、定年退職の年齢に差し掛かっています。ずっと仕事もお金も不自由しなかった彼女たちが、五十代後半に入り「あー、しまったー」と思うのは、結婚できなかったことではありません。

なんといっても、子どもがいるかいないかなんですね。かつて「大変よねー」と遠巻きに見ていた同業の女性の子どもが就職したり結婚したりするのを見て、自分の人生を後悔する人が多かったりします。

とはいえ、子どもの話となれば、まず最初にお断りしておきたいことがあります。私が心底、軽蔑するのは「子どもを生んでいない人には何もわからないじゃない」と、鬼の首を取ったように言う人たちです。

世の中には、子どもが欲しくない人もいる。子どもがいないからこそ仲が良くて幸せな夫婦もいる。そして、子どもが欲しくてもどうしても叶わなかった人もいます。

私は四年間の不妊治療の末、四十四歳にして子どもを授かりました。毎回「次はきっと」という期待を裏切られる辛さといったら……これは一冊の本になるくらい、いろんなことを私に与えてくれました。野心を持って一生懸命頑張れば何でも手に入ると信じていましたが、努力の甲斐もないことが世の中にはあるということ、自分の力ではどうにもならないことを思い知った期間でした。

いまでこそ、不妊治療の過程をブログに書いたりすることは普通になっていますが、そんな時代ではありませんでした。人知れず行うのが不妊治療。まだ不安定な妊娠初期に、医師本人が私の妊娠をマスコミに言いふらし、女性週刊誌にスッパ抜かれたり。信頼していた新聞記者さんにもいろいろ書かれたり、悪阻《つわり》もひどかったけれど精神的にも辛い妊娠期間でした。

そうして一九九九年二月、私は無事に女の子を生むことができました。

子どもを生んでつくづく良かったと思ったこと——それは自分にとって、いかに仕事が大切かという思いを再確認できたことです。

出産後六日目には「週刊文春」に出産記二十枚を書いていましたし、自分は本当に、書くことが好きなんだ、小説が大好きなんだとあらためて確信することができました。

もちろん正直な話、何よりも愛おしい存在である娘が生まれた時の嬉しさといったら、「人生最大の喜びでした!」と暴露してしまいたいんですけれど、それを言ったらおしまいよ……と思うのが私でもありますから。

娘は、誰に似たのか本当に辛辣《しんらつ》な性格で、時には辟易《へきえき》しますけれど、面白くて可愛くて仕方がないです。でも、そんなかけがえのない存在ができたのに、私は母親の世界だけに引きずられることもなく、作家として踏みとどまれる人間だったという自信を持つことができました。

好きな仕事に就けた幸福とは人生の幸福の八割を占めている——それを確信させてくれたという意味でも、娘にはとても感謝しているんです。

生むタイミングの難しさ

なぜ私が、どうしても結婚して子どもが欲しかったかというと、幼い頃からずっと、家庭を築くのは人間にとって当たり前のミッションだと思っていたという他ありません。作家になりたいと思っていた母の雪辱戦《せつじょくせん》を自分がやったということも、もしかして少しはあるかもしれませんが。

ただ、私は親が年を取ってからできた子どもだったので、前にも触れましたが、いつかは訪れる両親の死を、常に意識しながら生きてきました。ですから、親が死ぬという、人生最大級の悲しみを、ひとりぼっちで耐えるということだけは避けたかった。

自分が死ぬ時には、子どもがいようがいまいが、もはやあんまり関係ないことではないかと思うんです。自分が生きてきた結果ですし、あとは死んで、この世からいなくなるだけですから。でも、まだ自分は元気で、今後も生き続けていかなければならないのに親が死んでしまう時、もしひとりだったらどんなに寂しい思いをするのだろうということはずっと心の底からの恐怖でした。独身のひとりっ子の人が、親をひとりで看取《みと》る時の辛さなんて、想像するだけでも涙が出てきます。

自分の親の死にかぎらず、お葬式で、死の意味もわかっていない小さい子がちょろちょろと走り回って「ほらほら。座ってなさい」なんて諫《いさ》められている姿を見るだけで、死の悲しさから少しでも救われますよね。ですから、たとえ独身でも、兄弟姉妹に子どもがいるのは有り難いことだと感謝したほうがいいですよ。

そもそも、年を取っていくということ自体、どうしようもなく悲しいこと。私だって、もうじき還暦だと思うと卒倒しそうになるんですけど、同時に子どもが成長してくれているから、娘が大きくなって嬉しいなぁっていう喜びが、引き換えで老いの悲しさを相殺《そうさい》してくれているところがあります。プラスマイナスゼロとまでは言いませんけど。

また、子どもの学校や進路にしてもそうですが、自分がどんなに努力したって、人生には思い通りにならないことがあると教えてくれるのが子どもや結婚生活。作家の立場から言うと、仕事や人生の幅を広げてくれるという意味でも、ありがたいことです。

さて、もう一つ。子どもを持つ上で大事なことは、タイミングではないでしょうか。私のような高齢出産をすると「年を取って経済的な余裕もあるから、シッターさんに頼めるし、良いですね」と言ってくれる人がいますが、ずばり、嘘ですね。

高齢出産をすると、子育てに必要な体力も落ちているし、なんといっても、子どもが可哀相。親が年を取っているというのは、子どもにとってやっぱり不幸なことだと思います。早く死んでしまう親とは、一緒にいられる時間が短いわけですから。

年寄りの親から生まれた自分もその辛さが身にしみていたはずなのに、何の因果か高齢出産を繰り返してしまったことは反省しています。娘に「ママはいくつなの？」って訊かれても、面倒くさいから七歳くらいずっとサバを読み続けていたんですが、ある時、私の本当の年齢を知った娘は「ウッソー、最悪！」と天を仰いでいました。

反対に、友人の漫画家・柴門ふみさんは、二十代でお子さんを生んだから、いま、第二の人生を謳歌していて羨ましいです。私なんて、京都に友達とふらりと遊びに行きたくなっても、いまだに自由に行くことができない。

ただ、一般的には、仕事ができる人ほど、仕事に忙殺される二十代、三十代の時期に、子どもを生むタイミングを計るのが至難の業であることも事実。働く女性が二十代のうちに子どもを生むというのは、キャリアの構築を考えるとリスクが大きいとも思います。二十代はガーッと働いて、自分の実力を十分に認識してもらってから、三十代前半で生むのがベストではないでしょうか。実家の親もまだまだ元気で、子育ての手伝いをしてくれる可能性も大きい。親の手助けを期待できるという意味でも、やはり三十五歳以上の出産を「マル高」というのはいまだに理に適《かな》っていると思うんです。

いま振り返る「アグネス論争」

二〇一二年の十一月、漫画家のさかもと未明さんがＪＡＬの国内線を利用した際に、離陸から着陸まで泣き叫んでいた乳児のお母さん、および航空会社にクレームをつけて、「赤ちゃんは飛行機に乗せるな」という主張を展開したことが議論を生みました。

たしかに、まだ泣いたり喚《わめ》いたりをコントロールすることができない乳児を、逃げ場のない密閉された空間である飛行機に乗せるのは、できるだけ避けたほうがいいとは思います。しかし、たとえば、おばあちゃんが危篤で帰省して、仕方なく飛行機を利用していたんだったら仕方ないんじゃないのかな、それで文句を言われたとしたらお母さんがかわいそう……というのが私の素朴な感想です。他の車輌が空いているのに、新幹線など電車のグリーン車に泣き喚いてしまう年齢の乳幼児を乗せているのは、単に非常識というか親のエゴ以外の何物でもないと思いますけれど。

さて、私が子どもや子育てについて触れると、いまだに「アグネス論争で懲りてるくせに……」と陰口を叩かれることがあるのですが、そもそも、若い方々はもう「アグネス論争」なんてご存知ないかもしれませんね。

アグネス論争とは、一九八八年に「文藝春秋」誌上で私が書いた「いい加減にしてよアグネス」など、タレントのアグネス・チャンさんが子連れ出勤について発言したことに私が疑問を呈したことから始まった、当時の働く女性の子育てをめぐる論争のことです。

ここでアグネス論争について詳しく説明することは差し控えたいと思いますが、「いい加減にしてよアグネス」は『余計なこと、大事なこと』(一九八九年)という本にも収録されています。もし、興味のある方はそちらを探して読んでいただければ。

アグネスさんの「子どもを連れて行ったことで、職場の雰囲気がなごやかになりました」発言はいくらなんでも鈍感すぎるのではないかなど、自分が子どもを持ったいまでも当時と同じことを思います。

それにしても、「朝日ジャーナル」の四コマ漫画では、同様にアグネスさんに異議を唱えていた中野翠さんと私の頭には鬼の角《つの》を描かれて、鬼の私たちがいじめているアグネスさんの頭上には天使の輪が描いてあったりしたんですよ。それには呆れて笑うしかなかったけれど、男性の文化人に、アグネスの夫と林真理子の恋人で議論させろー、林真理子に男なんているもんかーみたいなことを書かれたのは、まったく最低だなぁと思いました。いまよりもっと男社会で、世の中が成熟していなかったから、そんなことを平気で書かれたりしていたんです。

とはいえ、アグネス論争では、私は損もしなければ得もしなかったと思っています。「いい加減にしてよアグネス」は、読者が年間でもっとも感銘を受けた記事を選ぶ「文藝春秋読者賞」もいただきました。反対に、当時、やたらとアグネスさんの肩ばかり持つ「朝日新聞」や「朝日ジャーナル」など、朝日の媒体とはしばらく絶縁していました。いまは「週刊朝日」で対談の連載を持たせてもらっていますけど。

当時の日本はバブル絶頂だったけれど、まだ戦後の贖罪《しょくざい》の意識も残っていましたし、中国もまだ貧しかったので、何かと言えば「中国ではー」と切り出すアグネスさん（アグネスさんは「中国ではー」と「香港ではー」を場合によって使い分けておられました）をいじめる意地悪な私、という構図になっていました。しかし、尖閣諸島問題があり、銀座や京都の三つ星料理店に中国人のお金持ちが押し掛けているいま、アグネス論争が起きたら果たしてどうなっているかなぁとは思います。

「アグネス論争のせいで、子育てネタで書けなくてお気の毒」なんて意地悪く言われることもありますが、そもそも、面白い子育てエッセイを読んだことがないから、その手のものを書きたいとまったく思わないんです。物書きが子育てエッセイを書いたとたん、どんな人でも急に色褪《いろあ》せて見えてしまう。ただ、漫画家の女性による子育てマンガだけは別で、やっぱり戯画化できるせいか面白いですね。

「よその家の子の成長は早い」とはよく言ったもので、他人の子育てなど、普通の人は興味がないのが当たり前ぐらいに思っておいたほうが良いのではないでしょうか。年賀状の家族写真でさえお腹いっぱいなのですから。世の中には、子どもが嫌いな人だって大勢いるのを、子どもを持った人間こそ心に刻んでおかないといけない。

私の秘書のハタケヤマは、編集者の方々から「ハヤシさんの運が強いのは、超敏腕かつ超美人の秘書さんがいることでもある」と折に触れて褒めていただくくらい、たいそう有能な美女です。彼女は結婚していますが、大の子ども嫌い。子どもを欲しいと思ったことなど一度もないそうです。

人には人それぞれの生き方があります。私のように、仕事も、結婚も、子どももと「女のフルコース」を味わいたい欲張りもいれば、どれか一つという人だっている。ただ、もし、子どもを持ちたいと思う気持ちがある女性なら、子どもを生むタイミングは早いうちから考えて計算していったほうがいい。

チャップリンのように七十代になっても頑張れば子どもを作れる男性とは異なるのが女性の身体です。仕事と子育てを両立させようとする女性の進む道が、いまの社会においてはまだ〝けものみち〟であることに変わりはない。

仕事や結婚、子どもを持つことの意味を含めた優先順位を若いうちから考え続けなければならないのが、女性にとっての野心のあり方なのだと思います。

第五章　野心の幸福論

欲望の「大食漢」

さて、「野心！」「努力！」と繰り返してきたこの本も、そろそろ終わりに近づいてきました。

野心は習慣性のある心でもあります。勝ち気な人って非難されたりもしますけど、一度も勝ったことがない人は勝ち気にさえなれない。どんなに小さなことからでもいい。人に認められる快感を味わい、勝った記憶を積み上げていくと、人格だって変わっていくんです。

とはいえ、やはり私は野心の持ち主として特異体質であることは自覚しています。なんといっても欲望の量が多い。だから求める幸福だって、当然大きい。

世の中というのは、つつましく安価だったり比較的誰もが手に入れやすいものに幸福を感じると「いい人」と言われ、その反対の嗜好を持つと「嫌な人」とうしろ指をさされることになっているようです。

たとえば麻生太郎さんが、

「億単位のカネと大臣たちを思いのままに動かした後、大豪邸に帰るのが幸せ」

などと言おうものなら非難囂々《ごうごう》でしょうが、お金も知名度もある女優さんや歌手が、「干したばかりの家族の洗濯物に顔を埋《うず》めている時がいちばん幸せ」

などと発言すると、とたんに「いい人！」と共感の声が上がるのです。

私はどうにも、こういう見え透いた貧乏くさいことが嫌いなのですが、いつしか世間はしみったれたことが主流になり、「おひさまのにおいのする家族の洗濯物」にうっとりすることを強制されるような時代になってしまいました。

しかし、「におい」で幸せにはなれない人間というのも、この世の中には確かに存在しています。

もっと本が売れてほしい、褒められたい、みんなに尊敬される作家になりたいと、私の心の中にはたえず渦が巻いているのですが、かつては自分の欲張りの心にどれほど悩んだことでしょうか。他人から見れば、私はもう十分なものを手に入れている。なのにどうしてそれに自分は満足できないのだろうかという苦悩です。

でも、ある時、やっとわかったのです。幸福というのは、その人の体型や体力と比例するようなものではないかと。体型を野心、体力を向上心と言い換えてもいい。

体重四十キロの人は、ごはんを半膳食べれば十分でしょうが、八十キロの人は二杯食べなければ満足できず、おやつに果物やお菓子を欲しがることだってあるでしょう。そうして太れば太るほどさらに食欲が増し、食べる量が増えていく。

誰もが欲望をダイエットする中で、欲張りデブの大食漢は、日々肥大化する願望に悩み、ときには自己嫌悪に陥り、もっと幸福になれないのかと焦ります。その苦しみから逃れるためにさらに行動範囲を拡げ、おいしい食べものがいっぱいあるところを探し続けていく。

大食漢の誇りを持って、大きな幸福を追い求めていくのが私の人生です。みなさんも、ごはんを食べる量を少し増やして、欲望のデブ道を共に歩んで行こうではありませんか。

「妄想力」が野心のバネになる

では、田舎で生まれ育った器量も頭も悪い女の子が、どうしてこんなに人並みはずれて欲張りで野心を持つ人間になったのかといえば、それは「妄想力」の為せる業なのではないかと思います。

妄想力とは、想像力よりもさらに自分勝手で、自由な力。現実からは途轍もなく飛躍した夢物語を、脳内で展開させてみるのです。秘密の花園でこっそり花を育てるように。

妄想は自分を引き上げてくれる力になります。作家であれば物語を書けるし、作家でなくたって、自分の人生のストーリーを紡ぎ出せるようになる。

中学時代にいじめられた私の盾となってくれたのも、いま思えば、妄想力です。いじめる男の子たちは絶対に私のことが好きなんだ、と信じていたから、あの時代を耐えられたのかもしれません。

そして、妄想力は野心のバネにもなる。

中二の時に『風と共に去りぬ』の小説を読んだ直後、ヴィヴィアン・リーの映画を観たんです。それはもう、頭をガツンと殴られたような衝撃で、オイオイ泣いたことを覚えています。泣いたのは映画に感動したからではありません。「ああ、どうして私はこんな田舎の、つまらないうちの子に生まれてきちゃったんだろう」と悲しくなったから。

あの時代に生まれて、フワフワのドレスで華やかな恋をする世界に生きてみたい、もしここで一回死んで、神様が好きな場所と時間を選んで生まれ変わってもいいと言ってくれるなら、死んじゃおうかと思ったくらいショックでした。

そして翌朝、目が覚めると、節穴《ふしあな》だらけの汚い天井が見えるわけです。世の中には物語の世界があって、一方で私が生きている現実の世界があり、物語の世界とこっち側の間には、どうしようもない隔たりがあることを確認せざるをえませんでした。

でも私はそのギャップにめげなかった。以来、ドラマチックに生きることに憧れて、少女の頃から妄想力を鍛え続けてきました。

たとえば、大学時代に入っていたサークルで、やたらとカップルが誕生した時期がありました。じゃあ、私も彼氏を作らなきゃと、「まぁ、このレベルでいいか」と狙いを定めていた男の子がいたんです。その彼が、私と同じくらいデブの女の子と付き合っているという噂を聞いた時には、「まさか！」と絶対に信じようとしなかった。「きっと彼は、本当は私のことを好きなんだけど、私が相手にしてあげないからあんなデブと付き合ってるんだ」と妄想していました。

なのに、ある日のコンパの後、彼がそのデブの子と二人で帰ろうとするから、もう逆上しちゃって……二人の邪魔をするように歩いたのを覚えています。どうやら本気らしいと気づいた時にようやく私の妄想はヘナヘナと崩れ、二人は実際にその後、結婚したんですけどね。……はい、もちろん、これは妄想力の悪い使用例。妄想は自分の脳内だけに留めておくことが大切です。うっかり頭の中から出してしまうと、ストーカーにもなったりするから注意しましょう。

さて、妄想力を鍛えるためには、なんといっても本を読むことです。辛い時には、空想の中で遊んだり、物語の世界に逃げ込むことだってできる。

それに、読書って、ひとりでやっていて惨めに見えない、数少ない趣味でもあります。本を読む楽しみを知っているのと知らないのとでは、ひとりで過ごす時間の充実度が違ってくる。人が電車の中で携帯メールを打っている姿と、文庫本を読んでいる姿では、圧倒的に後者のほうが素敵ではありませんか。

「止まっている不幸」の恐ろしさ

「業が深い人は幸せになれない」というのは、一部当たっているようにも思えます。業と欲が深いと、仕事に恋に、しょっちゅう悩んでは泣いたり、悶え苦しんだり、歯ぎしりしたりしなければならない。

成功したい、モテたいと、欲望を叶えるために必死にもがき続けていることを不幸と呼べば、たしかに不幸かもしれません。仕事でも挑戦すればするほど、あれこれ苦労したり落胆したりすることも増えますし、高望みの相手と付き合うほど、傷つく可能性だって高い。しかし、そんな「走っている不幸」は、本人には辛くても、端から見ていて明るい爽快感があります。きっと、どうにかなるよ、と肩を叩き、励ましたくなってくる。

本当に恐ろしいのは「止まっている不幸」だと思います。出口が無くて、暗く沈んでいくだけのモヤモヤとした不幸。

望んでいた仕事に就けず、無力感のまま働く若い人が、資格を取るとか転職しようという努力も何もせず「こんなはずじゃなかった」と社会を恨むことしかしない。

子どもを育て上げた専業主婦が生き甲斐を失い、「夫と子どもに捧げただけの不幸な人生だった」と口にする。それも世の中のせい、男性社会のせいで不幸になったと、なぜか自分の不幸を社会制度と結びつけて愚痴を言ったりする。意地悪な私は、「夫選びを間違えたのは誰ですか。結婚したいと願っていたのは誰ですか」と詰問したくなってしまいます。

自分が何を欲しているかわからないまま、「こんなはずじゃなかった」と世の中を呪う寂しさほど惨めなことはありません。自分の欲望さえ把握できない人たちは、何を目指して努力したらいいのかさえ見当がつかない。すると、いっそうの無力感に襲われ、ますます不幸の濃度が高まっていくのです。

それに比べると、何が欲しいかはハッキリとわかっている「走っている不幸」にはいつか出口が見えてくる。走ることを知っている人たちは、諦めるということも知っています。実際に、運が悪い人とは見切りが悪い人でもある。いまが楽しくないなら、何かを切り捨てることだって必要です。「新規まき直し」をして、生き方を変えることは運の強さにつながっていきます。

年齢を重ねていくと、野心の飼いならし方もだんだんわかってきます。他人のことは気にならなくなってくる。ひたすら自分の中に向かってくるんです。もっと良い仕事をしたいということだけになり、野心が研ぎ澄まされていくわけですが、自分との戦いほど辛いことはない。しかし、若いうちから野心を持って訓練していれば、その辛さに立ち向かえる強さも鍛えられているはずです。

そして、挑戦してたとえ失敗したとしても、世の中はほどほどの不幸とほどほどの幸福で成り立っていると達観する知恵者の域にまで達することができれば、もはやそれは「不幸」ではない。野心の達人が至る境地といっていいでしょう。

人生に手を抜いている人は、他人に嫉妬することさえできないんです。それほど惨めなことはありません。成功した人、幸せそうな人を見ても、自分が努力していたらまた違う感慨があったのかもしれないのに、「ああ、私は嫉妬する資格すらない」と自覚しているから、いじましく、自らの不幸を呪うことしかできない。

どうしてこんなに嫉妬するんだろうと思って、自分の弱点が見えてくることだってある。頑張っている人だけが抱くことのできる「健全な嫉妬心」はまったく悪いことではないと私は思います。むしろそれは宝物、自分が努力してきたことへのご褒美なのです。

野心の日常的な心得とは

さて、せっかくここまで読んでくださったのに、「上から目線でクドクド小言を言われたり、自慢話ばっかりだし、さんざんな目に遭ったよなぁ」と残念に思われている方々がいらっしゃるような気も……。大急ぎで本書初、野心を持つ人間のためのすぐに役立つテクニック三ヵ条をお伝えしたいと思います。

①時間は二倍に使う

私は、隙間の時間に、何かひとつのことだけに時間を使うということはしないように心がけています。たとえば、電車や飛行機で移動する時は必ず本を持って行く。新幹線に乗るのって大好きなんですが、車窓から景色を観ながら柿の種やお弁当を食べた後には、本を読むのが至極の楽しみです。
テレビを観る時はマッサージをやったり、屈伸したり。ごはんを食べながら新聞を読んだり。料理をする時には英会話を聴き、犬の散歩をする時は、口を「ア・イ・ウ・エ・オ」の形に大きく開けながら、たるみ防止に励んだり、エッセイのネタを考えたりしています。とにかく、ふだんの時間を何か単独に使うことはほとんどありません。

こま切れの隙間の時間をどう過ごすかで、生き方さえも決まってくると思います。

原稿用紙を持ち歩き、隙間の時間を無駄にしないのはデビュー直後から（1983年）

同じ時間を生きているのに、私たち人間には知識や器の差がある。この差はどこから生じるかというと、隙間の時間にもどれだけ積極的に自分の人生とかかわっているかの違いに拠るところが大きい。電車に乗っている三十分なりで、本や新聞を読む人と、携帯電話でのメールに明け暮れている人の差は、年齢を重ねるごとに大きくなっていきます。

また、結婚してから早起きになったことは本当に良かったと思っています。昔は昼前に起きていたから、あっという間に夕焼け小焼けの音楽が聴こえてきて、一日が終わってしまって徹夜に突入っていうこともありました。それに、ある程度の年齢になると、不規則な生活自体がストレスになってくるのではないでしょうか。

一方で、三枝成彰さんは「創作する人間にとって、早寝早起きはマイナスだ」とおっしゃっていました。深夜じゃないと創作に必要な〝毒〟が出ないって。なるほどなぁと膝を打ちました。ここぞという時に、深夜に毒を出すのは良いことかもしれない。闇の中で生まれたからこそ、力を持つ類の小説ってありますから。

②まずはぐっすり眠ってから考える

一晩ぐっすり眠ったら、少々の嫌なことを忘れさる能力は大事です。野心を持つと、新規まき直しをしたり、毎日、気分をリセットしなくてはならないことが大なり小なり生じてくる。落ち込むようなことがあったら、とにかく寝てしまいましょう。くよくよしないでベッドに直行。そして、朝日を浴びた新しい頭で考えてみる。田辺聖子先生が書いていらしたことでもありますが、これはすごく大切な才能だと思います。

私は、実家が書店で商売をしていたので、前日にどんな嫌なことがあっても、朝食ではニコニコしてなさいと躾けられてきました。そして、嫌なことを引きずらない能力は、絶対に運も強くすると思います。今日は今日の楽しみを見つけるのが得意な人が、運の強い人。道端でかわいい花を見つけたら、何かいいことありそう！　と思える感性こそが強運への近道なんです。

③運の強い、楽しい友人たちと付き合う

運とは、友人に引きずられるものだと思います。

運が強い友人って、明るいし、よく食べて、声も大きい。そして自分の仕事に誇りを持っている。会話をしたり一緒にいるだけで楽しい強運の友人たちは、みんなよく笑います。前にも述べましたが、私は運というものは実体のある不思議なものだと捉えています。もっと具体的に言うと、ふだん空気中のどこにでもふわふわと浮遊していて酸素のように飛び交っている〝強運の素〟は、潑剌《はつらつ》として明るいオーラを出している人にだけ止まるものだとも思っているんです。

たとえば、最初はガラガラに空いていたお店に、運の強い人たちと一緒に入ると、とたんに混み出したりすることが頻繁にあります。偶然なのかなぁと思うのが普通なんでしょうけど、「ほら、私たちって福の神よね！」なんて言う、あつかましいくらいにポジティブシンキングの人たちは、やっぱり運が強いし、こちらも強運に引っ張られて行く。

さらにプライベートな関係性でいうと、自分が落ち込んだ時に、たとえ忙しい最中にでも時間を取って悩みをじっくり聴いてくれて、なおかつそれを笑いに変えてくれるような友人は、何を措いても大切にしたほうがいいと思います。

ただし、普段から愚痴ばっかり言っているような人に、そんな神々《こうごう》しい、ありがたい友人などできるはずがありません。だからこそ、自分が元気で明るい時には、逆に友人をいたわったりして、パイプをつないでおかないといけない。

人生は山あり谷あり。しかし、運気と友人は貯金できるものなんです。

野心という山登り

敬愛してやまない渡辺淳一先生が、日本経済新聞に連載された「私の履歴書」で、次のように書いておられました。

文学のためとか、よりよき小説のため、などというもったいぶった理由なぞいらない。それより、いい小説を書いて、銀座のいい女をゲットしたい。そんな俗な理由が、まずわたしをふるい立たせ、わたしの能力をかきたてた。

（二〇一三年一月三十日　日本経済新聞朝刊「私の履歴書」より抜粋）

「俗欲」こそ作家にとって重要だと断じていらっしゃる渡辺淳一先生が偉大なのは、先日も「気がおかしくなるくらい書いて書いて書きまくった」とおっしゃっていましたが、ずっと現役で、大御所で、ベストセラー作家として第一線に居続けているところ。男性の機能不全——平たく言えば「勃たなくなる」こと——を経験したことでさえ、先生にとっては「しめた！」と思う絶好のチャンス。誰も書いたことのなかった小説のテーマになってしまうのです。

同様に、女性作家にとっても、普通の人には不幸の因《もと》になってしまうようなこと、たとえば失恋したとか離婚したとか、更年期障害だって、「これで一作書ける」という思いにつながっていく。作家という職業とは自分を切り刻んでいく仕事でもあるからです。

私は、自分がたまたま天職を得ることができた、とりわけ幸せな人間だと自覚しています。本を読むことに喜びを見出していた女の子が、本を書くことで人に喜びを与える仕事に就くことができた。これほど幸福なことはありません。人間にとってのいちばんの幸福は、人から必要とされること。人生で最大ともいえる幸福を手に入れることができたのですから、どんなに辛くても、作家の仕事は手放すまいと思っています。

しかし、それは、もっと良い作品を書きたいという焦燥感から、一生逃れられないことでもあります。実際に、あれを書いたらどうだろうか、こういうものを書けないだろうかと日々ウンウン考え続けています。たとえば『不機嫌な果実』が売れた時には、不倫小説を書いてほしいという依頼をいっぱいいただいたけれど、すべてお断りしました。同じようなものは二度と書かない、一度評価が下されたテーマには再び乗っからないようにするというのが私の矜持《きょうじ》でもあり、自負でもあるんです。

『下流の宴』にしても、書き上げた時は世俗と上手くリンクすることができたなぁと思っていた小説だったのに、三年経って文庫になって読み直すと、中国人妻なんてもう古いんじゃないかしらとか、二〜三年経つと、時代とずれてきてしまうのかなぁとグジグジと考え込んでしまったり。

たとえば、三島由紀夫の作品は、昭和三十年代当時の風俗がたくさん出てくる小説であっても、当時の風俗を知りたいと思って読まれることはない。何十年経っても読み継がれる小説は、普遍的な男女の愛であったり、人間のきらめきであったり、時を超えて人の心に訴える力を持っているのです。私もそういう小説が書きたい……。後世まで読み継がれていく小説を書くことは、作家の最大の野心ではないかと思います。

とはいえ、私は書店の娘。ベストセラーだって狙いたいのはもちろんです。同時に、本を買ってくださった方々にけっして損はさせまい、という意気込みで書かなければならないことも常に肝に銘じています。

2012年12月、盛岡文士劇にゲスト出演。劇中ではオペラのアリア2曲を歌い上げた

野心には飢餓感という副作用がありますから、野心など持たず、ヒリヒリするような気持ちを味わうこともない、低め安定のまま穏やかな

日々を過ごせるほうがいいと考える人もいるでしょう。実際、私は心が穏やかな時があんまりない人間です。ひとつ何かを手に入れると、もっと幸福になりたいから、必ずまた別の何かが欲しくなる。「ラッキー、これで満足」なんて思うことは絶対にない。もともと煩悩が大きいせいでもあるのですが、煩悩から脱出できないからこそ野心を持ち続けていられるんでしょう。

野心を持って努力をし続けるのは、本を読むことにも似ています。本を読み始めると、自分はどれほど無知なんだろうとか、この分野を知らないのはまずいなぁとか、この先また別の本を読んでみたいなと思う。努力をする人にはいろいろなページが開いてくるんです。反対に、本をまったく読まない人は、何を読めばいいかわからないし、そもそも本の存在すら意識下に入ってこない。

自分はこういう人生を送りたいという目標を決めたら、歯を食いしばってでも頑張ってみることです。野心が山登りだとすると、少し登り始めると、頂上がどんなに遠いかがわかってくる。少しクラッとするような場所まで来て、下を覗いてみると、登山口の駐車場ではみんなが無邪気にキャッキャッ楽しそうに群れている。でも、自分はぜったいその場所にはもう下りたくないと思う。自分はこの先、あの高いところまで登れるんだろうかという不安を常に抱えながら、ズルズルと下に落ちたくないから常に手を抜けない。

なぜ、わざわざ辛い思いをしてまで山登りを続けられるのでしょうか。

それは、必死で登って来た場所から見る景色があまりに美しく、素晴らしい眺めを自分の力で手に入れて味わう満足感と幸福をすでに一度知ってしまったからです。そうなったら最後、もっと美しい景色が見たい、もっと満足したい、もっと幸福を味わいたい、と、さらに上へ上へと登りたくなる。

平地で遊んでいる人間には一生見えない美しい景色、野心を持って努力をした人間だけが知る幸福がそこにはあります。もちろん辛い試練だって待っているかもしれないけれど、野心という山を登ろうとする心の持ちようで、人生は必ず大きく変わってくる。チャレンジしたからこそ初めて手に入れることのできる、でっかい幸福が待っている。

人の一生は短いのです。挑戦し続ける人生への第一歩を踏み出してくださる方が、一人でも増えることを祈ります。

さあ、山に登ろう！

N.D.C. 036　191p　18cm
ISBN978-4-06-288201-9

本文中写真　講談社写真部、フジテレビジョン

講談社現代新書　2201

野《や》心《しん》のすすめ

二〇一三年四月二〇日第一刷発行　二〇一三年七月一七日第七刷発行

著者　林《はやし》 真《ま》理《り》子《こ》

発行者　鈴木 哲

発行所　株式会社講談社
東京都文京区音羽二丁目一二―二一　郵便番号一一二―八〇〇一
電話　出版部　〇三―五三九五―三五二一
販売部　〇三―五三九五―五八一七
業務部　〇三―五三九五―三六一五

装幀者　中島英樹

印刷所　凸版印刷株式会社

製本所　株式会社大進堂

定価はカバーに表示してあります　Printed in Japan

「講談社現代新書」の刊行にあたって

教養は万人が身をもって養い創造すべきものであって、一部の専門家の占有物として、ただ一方的に人々の手もとに配布され伝達されうるものではありません。

しかし、不幸にしてわが国の現状では、教養の重要な養いとなるべき書物は、ほとんど講壇からの天下りや単なる解説に終始し、知識技術を真剣に希求する青少年・学生・一般民衆の根本的な疑問や興味は、けっして十分に答えられ、解きほぐされ、手引きされることがありません。万人の内奥から発した真正の教養への芽ばえが、こうして放置され、むなしく滅びさる運命にゆだねられているのです。

このことは、中・高校だけで教育をおわる人々の成長をはばんでいるだけでなく、大学に進んだり、インテリと目されたりする人々の精神力の健康さえもむしばみ、わが国の文化の実質をまことに脆弱なものにしています。単なる博識以上の根強い思索力・判断力、および確かな技術にささえられた教養を必要とする日本の将来にとって、これは真剣に憂慮されなければならない事態であるといわなければなりません。

わたしたちの「講談社現代新書」は、この事態の克服を意図して計画されたものです。これによってわたしたちは、講壇からの天下りでもなく、単なる解説書でもない、もっぱら万人の魂に生ずる初発的かつ根本的な問題をとらえ、掘り起こし、手引きし、しかも最新の知識への展望を万人に確立させる書物を、新しく世の中に送り出したいと念願しています。

わたしたちは、創業以来民衆を対象とする啓蒙の仕事に専心してきた講談社にとって、これこそもっともふさわしい課題であり、伝統ある出版社としての義務でもあると考えているのです。

一九六四年四月　野間省一

知的生活のヒント

78 大学でいかに学ぶか　増田四郎
86 愛に生きる——鈴木鎮一
240 生きることと考えること　森有正
327 考える技術・書く技術—板坂元
436 知的生活の方法——渡部昇一
553 創造の方法学——高根正昭
587 文章構成法——樺島忠夫
648 働くということ——黒井千次
722 「知」のソフトウェア—立花隆
1027 「からだ」と「ことば」のレッスン　竹内敏晴
1468 国語のできる子どもを育てる——工藤順一
1485 知の編集術——松岡正剛

1517 悪の対話術——福田和也
1563 悪の恋愛術——福田和也
1620 相手に「伝わる」話し方　池上彰
1626 河合塾マキノ流！国語トレーニング——牧野剛
1627 インタビュー術！——永江朗
1668 脳を活かす！必勝の時間攻略法　吉田たかよし
1679 子どもに教えたくなる算数　栗田哲也
1684 悪の読書術——福田和也
1729 論理思考の鍛え方—小林公夫
1865 老いるということ—黒井千次
1870 組織を強くする技術の伝え方——畑村洋太郎
1940 調べる技術・書く技術—野村進
1972 ブリッジマンの技術　鎌田浩毅

1979 回復力——畑村洋太郎
1981 正しく読み、深く考える日本語論理トレーニング　中井浩一
2003 わかりやすく〈伝える〉技術—池上彰
2021 新版　大学生のためのレポート・論文術——小笠原喜康
2027 地アタマを鍛える知的勉強法——齋藤孝
2046 大学生のための知的勉強術——松野弘
2054 〈わかりやすさ〉の勉強法——池上彰
2083 誰も教えてくれない人を動かす文章術——齋藤孝
2103 アイデアを形にして伝える技術—原尻淳一
2124 デザインの教科書——柏木博
2147 新・学問のススメ——石弘光